D1207732

regards
sur l'invisible

# Omraam Mikhaël Aïvanhov

# regards
# sur l'invisible

*3e édition*

**Collection Izvor**
**N° 228**

**EDITIONS**  **PROSVETA**

*Du même auteur :*

**Collection Izvor**

*Le lecteur comprendra mieux certains aspects des textes du Maître Omraam Mikhaël Aïvanhov présentés dans ce volume s'il veut bien ne pas perdre de vue qu'il s'agit d'un Enseignement strictement oral.*

# I

# LE VISIBLE ET L'INVISIBLE

S'il est si difficile de faire admettre aux humains la réalité d'un monde qu'ils ne voient pas, c'est qu'ils ne possèdent pas encore, pour l'observer ou le saisir, des organes aussi développés que ceux qui leur permettent d'entrer en contact avec le monde physique : le toucher, la vue, l'ouïe, l'odorat, le goût.

L'idée qu'il existe un autre monde peuplé d'innombrables êtres, invisibles mais aussi réels que ceux que l'on côtoie tous les jours, et dont certains sont plus évolués que l'homme, est quelque chose d'invraisemblable ou même d'insensé pour la plupart des gens. Tout ce qu'ils ne voient pas et que les instruments les plus perfectionnés utilisés par la science (microscopes, télescopes, etc.) ne peuvent pas détecter, cela n'existe pas. Eh bien, c'est un très mauvais raisonnement. Ce qu'il y a d'essentiel pour eux, leur propre vie, est-ce qu'ils la voient ?... Un homme est là étendu sur le sol ; il est visible, il est palpable, mais voilà, il est mort : quelque chose d'invisible l'a quitté, ce quelque chose qui le faisait marcher, aimer, parler, penser. Et vous pouvez déposer à côté de lui toute la nourriture et tous les trésors du monde en lui disant : « C'est pour toi tout ça, mon vieux, réjouis-toi ! » rien à faire, il ne bouge pas. Alors, comment peut-on ensuite mettre en doute l'existence d'un monde invisible ?

Le monde visible ne serait rien s'il n'était pas animé, soutenu par le monde invisible. A l'origine du visible, il faut toujours chercher l'invisible. Si le monde existe pour vous, si vous pouvez voir le ciel, le soleil, la terre, c'est grâce à ce principe invisible en vous qui vous permet de les découvrir à travers des instruments visibles, qui sont vos yeux. Si ce principe invisible n'était pas là, vos yeux qui sont là ne vous serviraient à rien, vous n'y verriez pas. Le monde visible n'est que l'enveloppe du monde invisible sans lequel on ne pourrait rien connaître de tout ce qui existe autour de nous.

Ceux qui refusent aussi catégoriquement l'existence du monde invisible prouvent tout simplement qu'ils ne réfléchissent pas. Car avec quoi sont-ils occupés jour et nuit ? Est-ce qu'ils voient leurs pensées, leurs sentiments ? Non. Alors, comment se fait-il que ces pensées et ces sentiments représentent pour eux une certitude absolue ? Celui qui est amoureux, doute-t-il de son amour ? Il ne voit pas son amour, il ne le touche pas, mais à cause de lui il est prêt à remuer ciel et terre. Et l'âme, et la conscience, qui les a vues ? Quand on dit : « En mon âme et conscience, je condamne cet homme », on décide du sort d'une personne au nom de quelque chose qu'on n'a jamais vu et dont on met même la réalité en doute : alors est-ce tellement raisonnable ?

Sans vouloir le reconnaître, les humains ne croient qu'à des choses invisibles, impalpables. Ils pensent, sentent, aiment, souffrent, pleurent, toujours pour des raisons invisibles, mais en même temps ils s'obstinent à prétendre qu'ils ne croient pas au monde invisible. Quelle contradiction ! Et combien de crimes sont commis simplement parce que des gens prennent tout ce qui leur passe par la tête pour la réalité. Un mari jaloux soupçonne sa femme de le tromper et, sans même avoir vérifié, il la tue. Un autre soupçonne un concurrent de méditer sa ruine, et voilà encore un mort.

Les gens ne mettent jamais en doute ce qu'ils pensent ou sentent, ils sont absolument convaincus que c'est la vérité. Quand vous leur exposez votre point de vue, ils disent : « Je vais voir... je vais étudier la question... je vais faire une enquête », mais pour ce qu'ils pensent et sentent, eux, il n'y a rien à étudier, c'est la seule réalité. D'un certain côté, ils ont raison : du moment qu'ils poussent des cris de joie ou de douleur, comment peuvent-ils douter de la réalité de ce qu'ils éprouvent ? Les réalités intérieures sont des réalités indiscutables. Ce sont même des entités vivantes et c'est pourquoi les Initiés enseignent l'existence d'un monde invisible, impalpable, qui est la seule réalité. D'ailleurs, ce monde dit « invisible » n'est pas tellement invisible pour eux : il est visible, tangible, palpable, parcouru de créatures, de courants, de lumières, de couleurs, de formes, de parfums beaucoup plus réels que ceux du plan physique, et ils le connaissent, ils l'étudient.

Oui, c'est une erreur de croire que les émotions, les sentiments, les pensées, tout ce qui appartient au monde psychique, spirituel, ne peut pas être étudié avec précision. Tous les scientifiques qui ont laissé de côté ce monde-là en pensant qu'il n'y a pas d'appareils pour l'étudier se trompent : ces appareils existent et ils sont encore plus justes et véridiques que ceux qui mesurent les phénomènes du plan physique. En chimie, en physique, on admet toujours dans les mesures et les calculs une marge d'erreur possible et presque inévitable. On ne peut pas peser une substance à un électron près. Tandis que dans la science du monde invisible, même un électron est compté, pesé, calculé : il règne là une précision absolue.

Oui, la vie, la vie intérieure, spirituelle, peut être étudiée et avec plus d'exactitude encore que le plan physique, mais à condition d'avoir développé ces instruments de précision absolue que sont les organes spirituels. Tant qu'on ne les a pas développés, on n'a pas le droit de nier la réalité du monde invisible. D'ailleurs, même ses cinq sens, l'homme ne les a pas tellement développés. Certains animaux voient, entendent, flairent, captent des manifestations que nous sommes incapables de percevoir : des odeurs, des ultra-sons, certaines radiations lumineuses ou encore certains signes annonciateurs d'orage, de tremblement de terre, d'épidémie, etc.

La seule attitude raisonnable que peuvent donc prendre les scientifiques, c'est de dire : « L'état de nos connaissances ne nous permet pas de nous prononcer, nous devons encore étudier la question. » Mais au lieu de cela, ils se prononcent et ils induisent l'humanité en erreur. Ils sont donc responsables et un jour ils vont le payer très cher, car leur responsabilité est enregistrée et le Ciel est implacable pour ceux qui trompent les humains. Tous ces scientifiques qui se prennent pour la mesure et le critère universels ne se rendent pas compte qu'avec leurs propres limites, non seulement ils se barrent la route, mais ils la barrent aussi à toute l'humanité. Comment se fait-il que, lorsqu'un explorateur est allé à l'autre bout du monde et raconte qu'il a vu tel pays traversé par tel fleuve, peuplé de tels habitants, on le croie, alors qu'on refuse de croire tous ceux qui sont allés visiter d'autres régions, des régions spirituelles et qui reviennent raconter leur voyage ? Ces voyageurs pourraient mentir, et pourtant on les croit, mais lorsqu'il s'agit des explora-

teurs du monde invisible, alors là, on met systéma-
tiquement leurs paroles en doute.

Tous les Livres sacrés de toutes les religions men-
tionnent l'existence de créatures invisibles dont la
présence n'est pas sans conséquences pour la vie et
la destinée des humains. La religion chrétienne les
a divisées en deux grandes catégories : les esprits de
la lumière et les esprits des ténèbres, les anges et les
démons. D'autres traditions ont davantage insisté
sur les esprits de la nature qui habitent les quatre
éléments. Je vous ai souvent parlé de toutes ces entités et particulièrement des Hiérarchies angéliques
que mentionne la Kabbale, reprise par la tradition
chrétienne ; je n'y reviendrai donc pas.

Moi je crois au monde invisible, je ne crois même
qu'à cela : toute notre existence est régie, imprégnée
par le monde invisible. Même nos sensations de
bien-être et de joie, comme nos sensations de souffrance et de chagrin, sont liées à la présence de créatures invisibles que nous attirons par notre façon
de vivre. Vous direz : « Nous ne les voyons pas,
donc elles n'existent pas ». Ecoutez, est-ce qu'on
peut demander à un aveugle de se prononcer sur ce
qu'il ne voit pas ? Si vous étiez clairvoyant, quand
vous ressentez une grande joie, vous verriez une
multitude d'êtres ailés accourir auprès de vous, char-
gés de présents de lumière, et ils chantent, ils dan-
sent en laissant sur leur passage des traînées de couleurs chatoyantes et les parfums les plus délicieux.

Et quand vous souffrez d'inquiétude ou d'angoisse, si vous étiez aussi clairvoyant, vous verriez des entités grimaçantes qui viennent vous tirer les cheveux, vous griffer, vous piquer. Ces entités, la tradition ésotérique les a appelées les indésirables : elles s'approchent des humains en disant : « Ah, cette bonne femme, ce bonhomme-là, ils nous intéressent ! Allons un peu leur faire des misères, ce sera amusant de voir comment ils crient et gesticulent. » Eh oui, voilà ce qui se passe quand vous êtes malheureux, tourmenté.

Evidemment, au vingtième siècle, les sommités intellectuelles et médicales ne peuvent pas admettre l'idée que des entités bienfaisantes ou malfaisantes visitent les humains pour les aider, les consoler, ou au contraire les tourmenter et les détruire. A leur avis, il s'agit d'éléments chimiques qui perturbent ou rétablissent le bon fonctionnement du psychisme. Eh bien, c'est vrai que ce sont des éléments chimiques, mais d'où viennent-ils ? Ces éléments chimiques sont la concrétisation de la présence d'esprits bienfaisants ou malfaisants attirés par l'homme lui-même. Si les humains, par leurs faiblesses, leurs transgressions, ouvrent la porte aux entités ténébreuses, elles entrent en eux et produisent des troubles que les psychologues, les psychanalystes appellent de toutes sortes de noms, mais qui en réalité ont une seule et unique origine : la présence d'indésirables attirés par notre façon défectueuse de vivre.

Ces faits sont très bien expliqués dans tous les Livres sacrés et des clairvoyants les ont constatés. Mais tant que les humains n'auront pas développé ces facultés spirituelles qui permettent de connaître le monde invisible, tant qu'ils mettront en doute les connaissances de la Science initiatique, ils se formeront une philosophie basée uniquement sur les observations des cinq sens et les conclusions de cette philosophie seront obligatoirement erronées.

Pour éclairer cette question des indésirables, il suffit de voir ce qui se passe avec tous ces organismes microscopiques qui ne cessent de menacer et d'anéantir les humains ? Qu'on les appelle microbes, virus, bacilles, bactéries, combien y a-t-il de temps que les biologistes ont réussi à les repérer grâce à leurs microscopes ? A peine un peu plus d'un siècle, c'est tout. Avant leur découverte, on prêtait aux maladies les causes les plus invraisemblables. Maintenant, on sait que les maladies ont pour cause toutes ces « bestioles » dont on n'a pas encore toujours très bien identifié la nature. Mais les résultats sont là : les maladies, la mort. Eh bien, ce qui se passe dans le plan physique se passe aussi dans les plans astral et mental et les résultats sont là aussi : l'angoisse, les tourments, les obsessions, la folie. Seulement, on n'a pas encore de microscopes assez perfectionnés pour pouvoir détecter ces virus du plan astral et mental.

Dans le domaine psychique, spirituel, les humains en sont encore comme à l'époque avant Pasteur : du moment qu'on ne voyait pas les microbes, on ne prenait aucune précaution contre eux. De même, comme on ne voit pas ces microbes du plan psychique que sont les indésirables, on ne prend non plus aucune précaution. Peut-être viendra-t-il bientôt un autre Pasteur avec de nouveaux instruments grâce auxquels on pourra voir les entités astrales qui ravagent les humains imprudents. Mais, en attendant, il est préférable d'admettre leur existence, et surtout d'apprendre à se protéger d'eux en menant une vie raisonnable et sensée.

Certains kabbalistes, qui étaient des clairvoyants, ont vu ces entités et ils les ont même nommées. Ces noms qu'ils ont donnés en tenant compte de la valeur numérique de chaque lettre, expriment exactement les caractéristiques de ces esprits. Je les connais, mais je ne veux pas vous les communiquer pour que vous n'ayez aucun contact avec eux. Il faut être très fort, posséder une aura puissante et savoir travailler avec la lumière, avec les couleurs, pour étudier ces entités sans danger. En tout cas, que vous y croyiez ou n'y croyiez pas, si vous n'êtes pas très vigilant, vous ne pourrez pas empêcher les indésirables de vous nuire. Pourquoi Jésus a-t-il dit dans les Evangiles : « Veillez et priez », ou bien : « Soyez vigilants parce que le diable, comme un lion qui rugit, est prêt à vous dévorer » ? Jésus aurait-il pu dire n'importe quoi ? Et comment les humains, s'ils connaissaient si bien la réalité des choses, seraient-ils victimes de tant de troubles ? Il faut donc revenir à nouveau vers cette sagesse délaissée, méprisée, pour transformer enfin son existence.

L'espace est peuplé de milliards d'entités malfaisantes qui ont juré la perte de l'humanité. Bien sûr, il est aussi peuplé de milliards d'entités lumineuses qui sont là pour l'aider et la protéger. Oui, mais leur aide et leur protection ne seront jamais absolument efficaces si l'homme lui-même ne fait rien pour marcher sur le bon chemin. Et aucun Maître non plus n'est capable de vous protéger si vous vous obstinez à mener une vie déraisonnable. Un Maître vous instruit, il vous éclaire, il essaie même de vous influencer par ses pensées et ses sentiments, mais si par votre insouciance, votre légèreté, ou même votre mauvaise volonté, vous détruisez tout son bon travail et ouvrez vos portes aux entités ténébreuses, que peut-il faire ?...

Celui qui veut véritablement avancer sur le chemin de l'évolution doit donc commencer par développer sa sensibilité au monde invisible. Mais ce ne sont là que des préliminaires. Car il ne suffit pas d'admettre l'existence d'entités et de courants qui peuplent l'espace ou qui nous habitent, il faut s'efforcer d'entreprendre avec ces entités et ces courants un travail constructif. Eh oui, c'est nouveau tout cela pour vous, n'est-ce pas ? Vous êtes attentif à mettre de l'ordre partout dans le plan physique, dans votre maison, votre lieu de travail ou même votre apparence extérieure et c'est très bien, mais intérieurement, dans vos pensées, vos sentiments, vous laissez tout en pagaille, parce que vous ne croyez pas que ces pensées et ces sentiments appartiennent à un monde qui existe réellement et sur lequel il faut travailler pour l'ordonner, l'harmoniser et l'embellir.

Qu'est-ce qu'on ne fait pas pour ce qui est visible ? Et pendant ce temps l'invisible est là, complètement abandonné. Eh bien, désormais, il faut changer d'attitude : le monde invisible est une réalité et une réalité plus importante que le monde visible, c'est donc de lui qu'il faut s'occuper avant tout.

Et quand vous vous concentrez sur ce travail intérieur, vous sentez que tout ce que vous êtes en train de vivre de pur, de lumineux vous lie à d'autres existences, d'autres courants jusqu'à l'infini. Tant que vous concentrez votre attention uniquement sur le monde visible, matériel, vous vous limitez, vous vous appauvrissez et vous vous matérialisez, vous aussi. Alors que si vous travaillez avec le monde invisible qui est la richesse, qui est l'immensité, vous vous liez à toutes ces forces créatrices, toutes ces entités lumineuses qui circulent à travers les étoiles, les constellations, tous les mondes qui peuplent l'univers, et vous goûtez la vie divine.

# II

# LA VISION LIMITÉE DE L'INTELLECT, LA VISION INFINIE DE L'INTUITION

# I

Tous les états qui les rapprocheraient du monde divin, la plupart des humains les rejettent comme anormaux ou même dangereux ; ils veulent faire confiance seulement à l'intellect. Là, au moins, c'est sensé, on a la tête sur les épaules.

Quand un professeur vous donne des explications, il se sert de schémas, de graphiques, grâce auxquels on le suit pas à pas sans danger de s'égarer. Pourtant ce ne sont pas ces graphiques, ces schémas, ces arguments si ordonnés, si clairs, qui empêcheront ce professeur de perdre la tête dans d'autres circonstances ! Car si les intellectuels font preuve de tellement de prudence, de discipline, d'objectivité quand il s'agit de leurs travaux, une fois sortis de ces travaux, ils trouvent normal de vivre dans la subjectivité, et même de se livrer au désordre et au trouble des passions. Eh bien, ce serait peut-être mieux à ce moment-là de se méfier et de faire intervenir un peu plus l'intellect. Mais non, ils préfèrent

se méfier des sensations célestes, divines, harmo-
nieuses, des sensations qui ne troublent pas, qui
n'introduisent aucun élément nocif à l'intérieur de
l'être. Quelle drôle de mentalité !

Si on étudie les statistiques, on verra que c'est
parmi les intellectuels qu'on trouve le plus de déséquilibrés et de malades mentaux. Car l'intellect ne
protège pas les êtres des troubles psychiques, au contraire même. La vie ne consiste pas exclusivement
à faire des observations, des mesures et des calculs,
les humains ne sont pas des machines et, pour
affronter les difficultés et les chocs de l'existence,
pour ne pas se laisser emporter et détruire par les
passions, pour découvrir la véritable réalité des choses, l'intellect ne suffit pas.

Bien sûr, comme certains qui se disent spiritualistes, mystiques, sont en réalité des gens bizarres,
désaxés, fanatiques, les intellectuels ont tiré des conclusions sur tous les spiritualistes et mystiques. Mais
ce n'est pas honnête. Les vrais mystiques sont des
êtres sensés : leurs manières, leurs gestes, leurs
regards, leurs paroles, leurs pensées, tout est
ordonné, tout est harmonieux. Pourquoi faut-il
s'imaginer que le monde de l'esprit, le monde divin,
pousse les êtres seulement à perdre la tête, à s'imaginer qu'ils voient le Seigneur face à face et Lui parlent, ou bien qu'ils sont le Christ, la Sainte Vierge,
Jeanne d'Arc, etc. ? Beaucoup, pour échapper à ces
élucubrations, ont préféré devenir des intellectuels

desséchés. Evidemment, si on se lance dans la vie spirituelle sans guide, sans directives, on peut se détraquer ; c'est ce qui est arrivé à beaucoup et on comprend donc un peu que, devant des exemples pareils, certains se méfient du mysticisme. Seulement voilà, donner la prépondérance à l'intellect n'est pas non plus la solution.

L'intellect est une faculté qui s'est développée en l'homme après le cœur, le sentiment. En lui permettant d'observer, de raisonner, de comprendre, elle lui donne d'immenses possibilités pour travailler et se développer. D'une certaine façon, on peut dire que l'intellect est une faculté liée aux yeux : voir les choses, c'est déjà un peu les comprendre. Combien de fois il arrive que pour dire : « Je comprends », on dise : « Je vois ». La nature a travaillé des millions d'années au développement de l'intellect, mais ce n'est pas lui qui est destiné à avoir le dernier mot : la nature a prévu de développer encore en l'homme des facultés bien supérieures. L'intellect est limité ; pour juger, tirer des conclusions, il se base sur l'apparence des choses et sur la vision partielle qu'il en a.

La connaissance synthétique manque donc à l'intellect, et il ne peut pas avoir non plus une connaissance de l'intérieur. C'est pourquoi il ne permet pas à l'homme de se prononcer correctement sur les êtres et les situations, et c'est là l'origine d'innombrables erreurs et malentendus. Bien sûr, en accumulant pendant longtemps un grand nombre d'éléments, on peut arriver à avoir une vue de la totalité, mais combien de temps cela prendra-t-il ? Et il y aura toujours des éléments subtils, impalpables, que l'intellect ne pourra pas saisir. Quand vous rencontrez quelqu'un, vous ne pouvez pas connaître d'un seul coup tous ses défauts, ses qualités, ses vertus. Il faut le fréquenter longtemps pour cela. La seule façon de connaître instantanément un être dans sa totalité, c'est de développer l'intuition qui est une manifestation de l'esprit. L'intuition n'a besoin d'aucun élément pour juger : elle pénètre instantanément au cœur des êtres et des choses et se prononce aussitôt sans jamais se tromper. Il n'y a rien de caché pour elle, elle seule peut connaître la réalité dans sa totalité.

Si l'Intelligence cosmique a donné l'intellect aux humains c'est évidemment pour s'en servir ; malheureusement, ils le font en se privant d'autres possibilités d'exploration et de connaissance plus subtiles. Comme ils sont incapables d'utiliser leurs facultés psychiques pour pénétrer l'anatomie et la physiologie du corps physique, ils sont obligés de le disséquer. Vous direz : « Comment ? On pourrait connaître l'anatomie et la physiologie d'un homme ou d'un animal sans les disséquer ? » Oui. On a bien construit toutes sortes d'appareils perfectionnés pour voir à l'intérieur du corps physique... Combien de fois je vous l'ai dit déjà : tout ce que l'homme a construit comme appareils n'est que la correspondance dans le plan physique d'appareils psychiques ou spirituels qui existent déjà en lui, et s'il est obligé de les construire à l'extérieur de lui, c'est qu'il ne sait pas les découvrir et les faire fonctionner en lui. Est-ce que c'est clair maintenant ? C'est parce qu'ils n'ont pas développé la capacité de connaître la matière par leurs facultés intuitives que les scientifiques sont obligés de la déchirer. Exactement comme les enfants qui mettent un jouet en morceaux pour savoir ce qu'il y a dedans. Voilà comment la science, qui est si fière de ses trouvailles, en est restée, en réalité, à une mentalité infantile.

Ne pouvoir utiliser que les cinq sens dont l'intellect est le représentant privilégié, limite énormément les humains. Pour connaître l'univers, le soleil, les planètes ou même le centre de la terre et les profondeurs des océans, ils doivent construire toutes sortes d'engins et tant que ces engins ne sont pas au point, d'innombrables connaissances leur échappent... Et même s'ils arrivaient à les mettre au point, étant donné que, pour atteindre certains lieux éloignés de l'espace, il faudrait beaucoup plus d'années que n'en comporte normalement la vie d'un homme, voilà encore une autre impossibilité ! Tandis qu'avec les sens du monde spirituel, instantanément on peut pénétrer n'importe où dans l'espace et tout connaître.

L'homme doit donc devenir de plus en plus conscient qu'il a à sa disposition des instruments bien
supérieurs à l'intellect, et apprendre, à l'avenir, à
laisser un peu l'intellect de côté, à le regarder seulement comme un instrument de travail pour l'étude
et l'exploration de la matière. Car dans la vie quotidienne non plus, ce n'est pas l'intellect qui peut
nous guider : il nous induira toujours en erreur, non
seulement parce qu'il a une perception partielle de
la réalité, mais surtout parce qu'au fond de tout ce
qu'il entreprend il y a un mobile caché, un intérêt,
un calcul égoïste qui finira toujours par produire
des troubles. L'intellect n'est pas fait pour la géné-
rosité, l'abnégation, le renoncement, il n'a pas été
créé pour cela, il ne sait que tourner les situations
à son profit. Si un jour il se laisse aller à faire un
sacrifice, un geste généreux, déjà le lendemain il le
regrette, il trouve que c'est dommage, qu'il a été
bien bête d'écouter les conseils du cœur ou de l'âme.

Et comment la fraternité se réalisera entre tous
les hommes, comment la terre ne formera plus
qu'une seule famille, comment le monde entier vivra
dans le bonheur, cela non plus l'intellect n'est pas
capable de le concevoir et de le réaliser. Il ne peut
pas s'élever assez haut pour découvrir les vrais
moyens, les vrais remèdes, les vraies solutions. Ce
qu'il imagine, ce qu'il propose à partir de sa vision
incomplète et égocentrique des choses est toujours
défectueux et ne peut provoquer que des malenten-

dus. C'est pourquoi rien n'est jamais réglé, il surgit toujours de nouveaux problèmes. L'intellect ne sera jamais un instrument parfait parce que les régions dans lesquelles il travaille, celles des pensées et des sentiments ordinaires, sont encombrées de poussière et de brume. La claire vision des choses ne lui a pas été donnée, et si l'on s'en remet absolument à lui, sans chercher plus haut d'autres instruments, d'autres facultés que Dieu nous a donnés aussi, eh bien, on ne trouvera jamais les meilleures solutions.

Le moment vient de ne plus vous laisser éblouir par les exploits de l'intellect, mais d'admettre l'existence en vous de corps spirituels, d'étudier leurs différentes possibilités et de travailler enfin à développer l'intuition, c'est-à-dire l'intelligence supérieure du plan causal qui n'a plus aucun mobile égocentrique, mais toujours un but héliocentrique, théocentrique. A ce moment-là, au lieu de tout faire pour votre propre profit, vous commencerez à vous mettre au service de Dieu. Non que Dieu ait besoin de quoi que ce soit : Il est tellement riche et puissant qu'Il n'a pas besoin qu'on travaille pour Lui. Ce travail, c'est pour nous qu'il nous est demandé, parce qu'il nous fait changer de point de vue, d'orientation, et c'est nous qui en bénéficions, c'est en nous que se produisent les améliorations. Lorsque toutes les énergies convergent vers un autre centre que nous-même, tous les processus, les fonctions, les vibrations changent, et au lieu de rester terne, nous devenons lumineux, rayonnant.

Evidemment, je le répète, il n'est pas question de supprimer l'activité de l'intellect. Dieu a voulu que l'être humain développe toutes les possibilités du cerveau, c'est pourquoi Il l'a fait descendre dans la matière pour l'explorer. Et dans cette involution, les cinq sens ont pris tellement d'importance que les hommes ont perdu la notion du Ciel, ils ne communient plus avec les entités lumineuses, ils ne pensent plus à elles, ils ne sentent même plus leur présence. Mais cette descente dans la matière restera quand même une acquisition extraordinaire pour l'humanité, car les projets de l'Eternel sont de perfectionner la créature humaine et, en la faisant passer à travers la matière, à travers les gouffres, à travers la maladie et la mort, de la faire revenir vers la vie, vers la résurrection, vers la lumière, vers la liberté absolue, afin qu'elle connaisse son Créateur. Déjà cette ascension a commencé, les courants du Ciel deviennent plus puissants et, de plus en plus nombreuses, des âmes lumineuses vont se réincarner : des philosophes, des artistes, des scientifiques qui auront un nouveau langage, qui créeront de nouvelles œuvres, qui proclameront de nouvelles valeurs, qui apporteront une nouvelle vision du monde, afin que sur toute la terre une nouvelle culture vienne s'installer, une culture qui établira le Royaume de Dieu et sa Justice. Mais pour que cela arrive, il faut apprendre à travailler avec ces appareils très perfectionnés que sont les organes des corps causal, bouddhique et atmique, en un mot travailler avec l'esprit, car lui seul peut arriver à contempler et à saisir les réalités du monde divin.

La majorité des gens admettent l'existence d'une faculté mentale qui est au-delà de la réflexion, du raisonnement : l'intuition. Mais ce qu'est réellement cette faculté et comment elle fonctionne, cela n'est

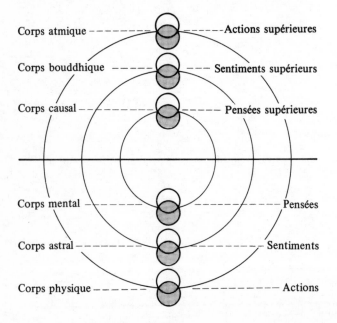

Corps atmique --------- Actions supérieures

Corps bouddhique ------ Sentiments supérieurs

Corps causal --------- Pensées supérieures

Corps mental --------- Pensées

Corps astral --------- Sentiments

Corps physique ------- Actions

pas très clair pour eux. Pour comprendre la nature de l'intuition, il faut se reporter au schéma que donnent les hindous des différents corps de l'homme.

Pour les hindous, notre corps physique est habité et animé par plusieurs corps subtils qui sont le corps astral, porteur des émotions, des sentiments ; le corps mental, support des idées concrètes, c'est-à-dire qui ont un rapport avec la matière ; le corps causal ou corps mental supérieur, qui permet à l'homme d'accéder à la compréhension des vérités sublimes, des mystères de l'univers ; le corps bouddhique, porteur, comme le corps astral, d'émotions et de sentiments, mais d'émotions et de sentiments divins : l'amour universel, l'abnégation, le sacrifice ; le corps atmique, enfin, porteur de cette étincelle immortelle qui est la toute-puissance de Dieu.

Les trois premiers corps, physique, astral, mental, sont à peu près également développés chez tous les humains. Mais pour les trois corps supérieurs, ce n'est pas le cas, il existe une grande différence parmi eux. Seuls certains philosophes, certains spiritualistes parviennent à s'élever jusqu'au plan mental supérieur où ils commencent à vivre dans la région sublime de la lumière. Leur cerveau s'affine tellement que des centres nouveaux s'éveillent en eux, grâce auxquels ils peuvent saisir la réalité des choses. C'est cela le monde de l'intuition. L'intuition est une vision, une réception instantanée, une saisie immédiate et totale de ce monde réel, véridique qui est situé au-delà du plan mental lui-même car, dans le plan mental, se glissent encore des erreurs et des illusions.

On ne peut arriver jusqu'à ce monde de l'intuition que par des pratiques de la plus haute spiritualité. Il faut avoir un haut idéal et surtout un Maître, afin d'être guidé sur ce chemin difficile, et enfin une volonté stable pour pratiquer inlassablement des exercices jusqu'à ce que l'on soit assez développé pour saisir et capter les réalités des régions sublimes.

L'intuition est une forme d'intelligence très différente de l'intelligence ordinaire. Ceux qui travaillent beaucoup avec l'intellect arrivent, bien sûr, à une certaine compréhension des choses, mais ils parviennent à peine à toucher ce monde de l'intuition où la connaissance est immédiate et totale ; il leur faut des années et des années de travaux, de réflexions, de calculs pour faire une découverte. Tandis que ceux qui ont choisi le chemin de l'esprit peuvent se brancher directement à ces régions sublimes. Seulement ils doivent pour cela cesser de vivre dans le vacarme des émotions et des passions qui empêchent d'y voir plus clair, et mettre de l'ordre dans tout leur être. C'est dans cette paix et cette harmonie qu'ils peuvent atteindre la région de l'intuition, et ils ressemblent alors à la surface d'un lac limpide où tout le ciel vient se refléter.

Vous direz : « Mais alors, à quoi sert l'intellect ? » L'intellect est extrêmement utile, car il vous permet de faire déjà une grande partie du chemin. Oui, mais arrivé à une certaine limite, il vous abandonne, il ne peut pas vous mener plus loin, il vous dit : « C'est une région où je ne peux pas te guider : il m'est impossible d'aller plus loin. Je t'ai amené jusqu'ici, mais maintenant c'est à d'autres forces, d'autres facultés, d'autres entités de te prendre avec elles pour te montrer le chemin. » Regardez, c'est exactement comme pour certains voyages : vous commencez, par exemple, par prendre votre voiture qui vous amène jusqu'à la gare, là vous montez dans le train. Arrivé à un certain point, vous ne pouvez pas aller plus loin et vous devez prendre le bateau. Après quelques heures ou quelques jours, vous devez aussi quitter le bateau. A ce moment-là, un avion vous attend, et hop, vous vous envolez dans les airs. Alors, vous avez compris, l'intellect ne vous sert qu'à faire une partie du chemin intérieur que vous avez à parcourir.

L'intellect est l'instrument le plus formidablement utile pour préparer les conditions, déblayer la voie, mettre les choses en place en attendant que l'intuition puisse se manifester. Il vous aide à surveiller, à contrôler ce qui se passe dans votre tête et dans votre cœur, à éliminer les pensées et les sentiments négatifs, à conserver au contraire les pensées et les sentiments constructifs, bénéfiques, et à

les amplifier. Quand vous aurez ainsi introduit en
vous la paix et la pureté qui sont les conditions indispensables pour entrer en contact avec le Ciel, ce sont
d'autres courants qui viendront vous prendre pour
vous amener jusqu'à la région divine de la lumière
infinie et du savoir absolu et, d'un seul coup, vous
aurez des révélations. Car c'est cela l'intuition : une
étincelle, une lumière projetée, un savoir que l'on
capte de l'intérieur sans se rendre compte d'où et
comment il est venu ; mais on ressent une certitude
absolue que c'est ainsi et pas autrement. Les vérités, les connaissances que l'on reçoit par l'intuition
sont sans défaut, sans erreur possible.

Ainsi, l'intuition est supérieure à l'intellect ; elle
a, si vous voulez, la même précision rapide et infail-
lible qu'un ordinateur par rapport au cerveau. Bien
sûr, c'est le cerveau qui est supérieur : il a construit
l'ordinateur, lui a confié les données nécessaires,
il déclenche et contrôle son fonctionnement, et la
réponse de la machine sera toujours à la mesure de
l'intelligence humaine qui lui a fourni les données ;
et comme cette intelligence est limitée, la réponse
sera aussi limitée. Mais lorsqu'il s'agit de faire vite
un calcul ou une opération très complexe, l'ordinateur vous donne la réponse juste en quelques
secondes, alors qu'il aurait fallu au cerveau plusieurs
heures ou plusieurs jours pour trouver la solution.

J'ai pris cet exemple de l'ordinateur uniquement
comme une image pour vous montrer que l'intui-

tion aussi vous donne la réponse en une seconde, sans même que vous sachiez pourquoi, comment et par quel moyen les entités célestes qui vous ont répondu ont bien voulu le faire. C'est comme s'il existait en vous un être dont le regard est capable de pénétrer la réalité des choses et de vous communiquer ce qu'il perçoit en prenant en considération non seulement les éléments du plan physique, mais tous les éléments invisibles et subtils qui échappent à la compréhension humaine. Ainsi l'intuition est une révélation d'un ordre supérieur à l'intellect ; on ne peut s'élever jusqu'à cette région que par la méditation, un travail assidu et la prière. Lorsque vous êtes parvenu à introduire en vous l'ordre et la paix, tout le Ciel vient se refléter sur la surface limpide de votre conscience.

Les humains reçoivent dans les écoles une instruction qui les pousse à compter sur l'intellect bien plus que sur l'intuition. C'est bien, seulement il faudra des milliers d'années à l'intellect pour arriver à voir, à toucher, à comprendre la réalité du monde divin ou l'existence des entités invisibles. Tandis que les esprits intuitifs, les êtres qui travaillent selon les méthodes des Initiés, n'ont pas besoin, eux, de réfléchir et de tâtonner pendant des siècles pour percevoir, sentir et toucher la réalité.

Il est bon d'avoir une pratique quotidienne de ce monde de l'intuition. C'est pourquoi, lorsque vous avez un problème important à résoudre, trou-

vez un endroit calme et concentrez-vous... Essayez
de monter très haut par la pensée et lorsque vous
sentez que vous avez réussi à atteindre un certain
point, posez la question qui vous préoccupe et atten-
dez paisiblement : il y aura toujours une réponse.
Selon votre degré de développement, selon votre travail, cette réponse vous parviendra plus ou moins
clairement ; ce ne sera peut-être qu'une sensation
vague, difficile à interpréter, mais ce sera déjà un
indice. Alors, n'abandonnez pas, recommencez à
vous lier au monde de la lumière, reposez la question : quelque temps après vous sentirez en vous une
clarté, une certitude, et à ce moment-là, plus de
doute, vous saurez comment vous devez agir. Plus
l'homme est développé, plus la réponse qu'il reçoit
est claire et précise.

Certaines personnes ont des dons de voyance,
elles voient des formes, des couleurs, des entités,
mais ce n'est pas encore le degré d'investigation le
plus élevé. Le plus haut degré, c'est de saisir, de
comprendre les choses par l'intuition sans voir
aucune forme, aucune lumière, rien. On sait avec
une certitude immédiate et absolue. Combien de
gens voient des formes et des couleurs qu'ils ne peuvent pas interpréter correctement ! Alors, à quoi
leur sert cette clairvoyance ? L'intuition, elle, est
la fusion de l'intelligence et de la sensibilité, elle nous
donne la connaissance complète, et en ce sens elle
est supérieure à la clairvoyance, car la clairvoyance,

ce n'est rien d'autre que de voir le côté objectif du plan astral ou mental : vous voyez, et vous êtes terrifié ou émerveillé, vous ressentez des sentiments, mais sans avoir la connaissance ni la compréhension.

Un véritable spiritualiste ne s'occupe même pas de ce qu'il voit dans le plan astral, il ne travaille pas pour ça, il passe au-delà, il veut une réponse supérieure. Quand il a reçu cette réponse de l'intuition, alors, oui, il peut retourner dans les régions de la clairvoyance ou de la clairaudience. Mais d'abord, il doit viser le but le plus élevé, sinon ces visions, ces images flottantes s'accrocheront à lui, l'arrêteront et l'empêcheront d'aller plus loin, car c'est un monde extrêmement confus et mélangé. On y rencontre des images tellement terribles qu'on ne peut plus le traverser paisiblement pour aller plus haut, on est obligé de s'arrêter en chemin, on est presque entravé dans son évolution. C'est pourquoi, tant qu'on n'a pas le pouvoir de se mettre à l'abri de ces dangers, il est préférable de traverser rapidement ces régions les yeux fermés et de commencer par travailler sur l'intuition.

Il existe de nombreuses méthodes pour développer l'intuition : on peut pratiquer des exercices de concentration, de visualisation, de contemplation. Vous pouvez aussi vous concentrer sur votre Moi supérieur et vous imaginer qu'il vous communique tout ce qu'il voit, tout ce qu'il sait. Mais encore une

fois, le moyen le plus efficace, le moins dangereux,
c'est de travailler sur le désintéressement et la pureté.
Tâchez de n'avoir jamais de parti pris, de ne jamais
agir par intérêt, c'est à cette seule condition que tout
ce qui vous empêche d'y voir clair disparaîtra et que
vous pourrez connaître les choses et les êtres dans
leur réalité.

# III

# L'ACCÈS AU MONDE INVISIBLE :
# DE IÉSOD A TIPHÉRET

# I

Pour pénétrer dans le monde invisible, il existe différentes voies. La méditation est, avec la prière, parmi les plus accessibles. Mais méditer suppose une préparation. Celui qui veut méditer sans posséder encore une discipline intérieure commence par errer dans les régions inférieures du plan astral où il remue au passage toutes sortes de couches obscures peuplées par des entités qui sont souvent hostiles aux humains, et c'est ainsi qu'il devient la proie de visions étranges qui n'ont aucun rapport avec l'objet de sa méditation.

Avant de méditer, il faut commencer par mettre de l'ordre dans son être psychique, sinon, même cet exercice tellement utile et salutaire peut devenir dangereux. Et les personnes qui ont des facultés médiumniques sont là particulièrement exposées. Il ne faut pas se lancer sur le chemin de la spiritualité sans précautions préalables. Il est nécessaire pour le spiritualiste d'apaiser, d'apprivoiser, d'orienter

toutes les tendances en lui, d'avoir pour seul but
de se perfectionner, d'obtenir la sagesse, la pureté,
de connaître la vérité. Ce but supérieur est comme
un diapason, et au moment où toutes les particules
de son être s'accordent avec ce diapason, elles
vibrent en harmonie et les expériences qu'il fait dans
le monde invisible sont réellement bénéfiques.
Sinon, la spiritualité devient une aventure risquée.
Car vous ne devez pas vous imaginer qu'on entre
dans le monde invisible comme dans un moulin ;
ce monde est le territoire d'innombrables créatures
qui ne vous laisseront pas vous promener chez elles
comme il vous plaît. C'est exactement comme si
vous décidiez d'aller vous promener dans certaines
forêts sauvages : vous serez exposé aux attaques des
animaux qui s'y trouvent, fauves, serpents, insec-
tes venimeux... et si vous ne savez pas vous protéger, vous êtes à leur merci.

Vous direz : « Mais comment ? Du moment que
nous voulons entrer en contact avec le Ciel, nos
expériences ne peuvent que nous être bénéfiques ! »
Non, tous ceux qui veulent pénétrer dans le monde
divin, sans y être préalablement préparés, courent
des risques : les entités lumineuses ne peuvent pas
supporter l'intrusion d'individus qui essaient
d'entrer chez elles en apportant tous les déchets et
les miasmes de la terre, alors elles commencent à
les refouler et à leur déclarer la guerre. On ne fait
pas violence au monde spirituel. Si vous voulez

approcher les entités célestes, vous devez vous préparer en adoptant une attitude sacrée : demandez à ces entités sublimes l'autorisation de pénétrer dans leur région pour admirer leur beauté, leur pureté et glorifier le Seigneur ; à ce moment-là, oui, vous gagnez leur amitié et vous n'êtes ni rejeté ni combattu.

Malheureusement, les humains qui sont éduqués à ne rien respecter, à se montrer grossiers, violents avec ceux qu'ils fréquentent — il paraît que c'est ainsi qu'on réussit dans la vie ! — gardent la même attitude à l'égard des esprits lumineux. Au lieu de comprendre qu'il vaut mieux essayer de gagner leur amitié et leur confiance par l'humilité, le respect, la pratique des vertus, ils cherchent à s'imposer à tout prix. Tels qu'ils sont, ils se présentent et le Ciel doit les accepter. Eh bien non, ce n'est pas ainsi que les choses se passent, le Ciel ne les accepte pas. Alors, attention, car si vous êtes refoulés du territoire des esprits lumineux, vous allez vous retrouver dans celui des esprits ténébreux qui seront bien contents d'avoir là de bonnes proies à se mettre sous la dent et vous serez leurs victimes.

L'étude de l'Arbre séphirotique, qui est une représentation des différentes régions de l'univers, mais aussi une représentation des différentes régions psychiques de l'homme, vous aidera à mieux comprendre l'itinéraire que doit suivre celui qui veut avoir accès au monde invisible. La première séphira

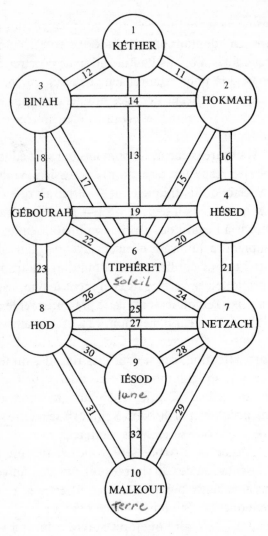

Arbre séphirotique

en commençant par le bas est Malkout, et elle représente le plan physique, matériel, la terre. Au-delà de Malkout se trouve Iésod, la région de la lune, et au-delà encore Tiphéret, la région du soleil. En quittant Malkout, on quitte le plan physique pour entrer dans le plan psychique : Iésod. Oui, Iésod est le commencement de la vie psychique et en cela elle représente un progrès par rapport à Malkout, le plan physique. Mais la vie psychique est faite d'abord de régions brumeuses, de formes vagues et indéterminées : telle est la partie inférieure de Iésod qui n'a pas été encore visitée par la lumière de Tiphéret, le soleil, la raison, l'esprit.

Iésod est une région déjà beaucoup plus subtile que Malkout, mais la partie qui est la plus proche de Malkout est encore trop humide, trop brumeuse, trop poussiéreuse, c'est la région des illusions, des égarements. Il faut donc la traverser rapidement pour aller au-delà jusqu'à découvrir le monde de la lumière, Tiphéret, la région du soleil : c'est là que commence le véritable travail spirituel. Beaucoup de prétendus spiritualistes, voyants ou mystiques, ont pataugé dans les zones inférieures de Iésod ; il leur manquait les connaissances qui leur auraient permis de dépasser ces régions et de trouver la clarté, c'est pourquoi beaucoup ont mal fini.

Tous ceux qui ont voulu pénétrer dans le monde spirituel sans être préparés ont trouvé devant eux cet être terrible que l'on appelle dans la Science initiatique le Gardien du Seuil. En réalité, cet être terrible est en eux-mêmes. Il est formé par l'accumulation de toutes leurs tendances inférieures : les convoitises, la sensualité, l'agressivité, etc., il leur barre le chemin, il ne les laisse pas pénétrer dans ces régions tant qu'ils n'ont pas encore mérité le droit d'y accéder.

Dans son roman « Zanoni », Bulwer Lytton raconte les épreuves d'un disciple, Glyndon, qui, impatient d'accéder aux mystères sans y être encore parfaitement préparé, transgresse les ordres de son Maître, Mejnour, et aspire l'élixir qui doit lui donner les connaissances et l'immortalité. Après quelques secondes d'extase, il voit apparaître un monstre hideux, le Gardien du Seuil, et tombe sans connaissance. Des années durant, cette vision horrible le poursuit, il abandonne ses travaux et erre comme un malheureux à travers le monde jusqu'à ce que Zanoni le délivre enfin de ses tourments.

En réalité, chacun doit un jour rencontrer le Gardien du Seuil et lui faire face : il est là dans la neuvième séphira, Iésod, prêt à menacer de sa face épouvantable l'adepte présomptueux qui cherche à s'aventurer dans les régions spirituelles sans avoir suffisamment travaillé sur la pureté, la maîtrise, le courage. Seul le disciple armé de connaissances, qui a réussi à dominer tous ses instincts inférieurs, arrive à vaincre le Gardien du Seuil. Un regard suffit : « Va-t-en » et il disparaît lui laissant le chemin libre.

## II

Le jour, quand le soleil brille, nous voyons tous les objets autour de nous avec précision : leur forme, leur couleur, leurs dimensions, la distance à laquelle ils se trouvent… Le soleil règne sur ce qui est clair, limpide, et de cette clarté provient la connaissance exacte des choses.

La nuit, au contraire, même si la lune brille, les objets sont plongés dans une sorte de pénombre où ils apparaissent différents qu'ils ne sont : ce qui est laid peut sembler beau, ce qui est beau peut sembler grimaçant. Dans ce flou, cette imprécision, il est impossible d'avoir une claire vision de la réalité. En revanche, toutes les possibilités sont là pour l'imagination qui est aussi une forme de vision, mais une vision qui se situe au-delà du plan physique.

Le soleil est donc le domaine de la connaissance claire, de la raison ; la lune est le domaine de l'imagination, de la médiumnité. En réalité, la lune a plusieurs aspects, mais pour faciliter les choses, nous n'en mentionnerons que deux : une région brumeuse où sont les illusions, les fantasmes, les aberrations, la folie, et une région claire qui est l'imagination poétique, la véritable inspiration. Beaucoup d'artistes se plaisent dans la région crépusculaire de la lune ; ils sont fiers d'apporter, par leurs créations, un élément d'irréalité : le rêve, l'étrange, le fantastique. Mais cet univers du vague et de l'imprécision dans lequel ils se réfugient est très dangereux et beaucoup d'entre eux ont fini alcooliques, fous, ou se sont suicidés.

Dans la mesure où ils vivent et travaillent dans un plan supérieur au plan physique : le plan astral, on peut dire que les artistes sont des voyants et, bien sûr, c'est un progrès, mais à condition de ne pas stagner dans ses parties inférieures ; ces régions ne doivent être que des lieux de passage, il faut les traverser pour aller plus haut et recevoir l'influence du soleil. Malheureusement, beaucoup d'artistes n'en sont pas capables ou, s'ils le sont, ils ne font aucun effort dans ce sens : leurs écrits, leurs tableaux, leurs musiques sont l'expression du plan astral inférieur, la face obscure de la lune. Malgré cela, ils s'imaginent qu'ils donnent des trésors aux humains. Pas du tout, ils les influencent très mal, car ils ne sont pas vraiment éclairés. Ils ont des dons, des talents, c'est entendu, mais intérieurement, ils ne possèdent pas les éléments du soleil, les seuls susceptibles d'amener les êtres vers les régions où ils trouveront la certitude, la paix, la lumière.

Bien sûr, on ne peut pas, d'une certaine façon, échapper à ces régions du plan astral : parce qu'elles sont aussi en nous. Elles sont en dehors de nous, mais elles sont également en nous. Il y a le jour et il y a la nuit, il y a le soleil et il y a la lune. On ne peut supprimer ni la nuit, ni la lune, mais il est préférable de ne pas trop s'exposer à leur influence. La lune, il faut l'étudier, mais ce qu'elle représente en nous comme philosophie, comme conception et perception des choses, il est préférable de s'en méfier.

Alors, essayez de ne pas vous attacher à des formes d'art qui vous maintiennent dans un monde crépusculaire, car elles ne vous aideront pas à y voir clair, elles ne vous rendront pas meilleur et elles vous empêcheront d'évoluer. Bien sûr, on ne peut pas nier que ce monde soit plein de séductions ; mais ceux qui s'y laissent retenir ne peuvent aller plus loin, ils sont arrêtés dans leur évolution. C'est le sens symbolique du passage de l'« Odyssée » où Homère raconte comment Ulysse, naviguant au large de l'île des Sirènes, avait fait boucher de cire les oreilles de ses compagnons, pour qu'ils ne se laissent pas séduire par ces femmes à la voix mélodieuse, qui détournaient les matelots de leur chemin pour les dévorer. Les Sirènes sont un des nombreux symboles des entités du plan astral. Que d'artistes sont restés la proie des Sirènes !

Comme Ulysse, un véritable instructeur qui connaît la réalité des choses, tâche de mettre ses disci-

ples en garde contre les pièges du plan astral et
de les entraîner plus loin, plus haut, pour découvrir les seules réalités qui valent la peine d'être
découvertes : les splendeurs du monde divin, Tiphéret, la région du soleil, où tout devient limpide et
lumineux.

IV

LA CLAIRVOYANCE:
ACTIVITÉ ET RÉCEPTIVITÉ

De plus en plus de gens s'intéressent aux phénomènes de la médiumnité, de la clairvoyance, de la télépathie et désirent cultiver ces facultés qui leur paraissent tellement avantageuses : connaître, pénétrer ce qui est caché. Oui, bien sûr, c'est avantageux, mais c'est quand même risqué. Pourquoi ? Parce que, pour devenir médium, clairvoyant, il est nécessaire d'observer une attitude de grande passivité et réceptivité. C'est parce qu'ils ont cette attitude réceptive que les voyants peuvent être les messagers de l'invisible. Mais quand on devient trop réceptif, on est comme une éponge, on absorbe tout, ce qui est bon comme ce qui est mauvais.

Le monde invisible n'est pas un espace vide, et il est dangereux de s'aventurer sans préparation préalable dans ces régions, qui ne sont pas uniquement peuplées d'esprits lumineux, mais aussi d'entités malfaisantes très souvent hostiles aux humains et qui se plaisent à les induire en erreur ou à les persécuter. Dans l'invisible flottent aussi des créatures monstrueuses produites par les pensées et les sentiments de gens criminels et de magiciens noirs, qui cherchent à se faufiler partout où elles trouvent une porte ouverte, c'est-à-dire chez tous les êtres faibles et incapables de se défendre. On trouve ainsi dans les hôpitaux psychiatriques toutes sortes de personnes qui, dans leur désir d'entrer en relation avec le monde invisible par la clairvoyance et la médiumnité, se sont laissé envahir par ces entités ténébreuses.

Quand on possède certaines facultés médiumniques, qui sont les qualités du principe féminin, il est conseillé de développer aussi des qualités masculines afin de posséder des armes pour se protéger. L'histoire de l'Antiquité nous a conservé de nombreuses figures de voyantes, de prophétesses, de sibylles, de pythonisses qui ont joué un rôle important. Mais ces voyantes vivaient toujours près de grands prêtres et d'Initiés qui les protégeaient. Car un Initié est un être qui a développé avant tout des qualités de volonté, de maîtrise, qui sont des qualités du principe masculin. Un véritable Initié est plutôt un mage qu'un clairvoyant, il a choisi d'agir sur les êtres, les éléments, les forces de la nature. Il a peut-être des dons de réceptivité, mais il a surtout la possibilité d'agir, c'est pourquoi il est plus à l'abri qu'un clairvoyant. Comme il est actif, dynamique, les forces qu'il projette s'opposent aux dangers qui le menacent. La perfection, c'est évidemment de pouvoir développer les deux possibilités : être à la fois émissif et réceptif.

Chacun ne peut attirer que les courants et les entités qui sont en affinité avec l'état dans lequel il se trouve. C'est la loi : l'homme entre en relation avec ce qui correspond à ses vibrations, à son aura, et s'il n'est pas pur, lumineux, puissant, il est obligé de subir tout ce qui circule de négatif, de malsain, de violent dans l'atmosphère psychique qui l'entoure. Les personnes réceptives, passives comme les médiums sont ainsi plus particulièrement exposées ; c'est pourquoi je vous conseille de ne pas vous laisser aller à vos tendances médiumniques, si vous en avez, tant que vous n'avez pas accompli un travail de purification et d'élévation intérieure qui vous permettra de résister aux assauts des forces obscures. Faites d'abord l'effort de monter, de vous lier à la lumière, de projeter cette lumière autour de vous : au moment où vous sentez que vous y arrivez, et seulement à ce moment-là, vous pouvez vous abandonner, devenir réceptif, vous serez protégé à cause de votre travail préliminaire, à cause de toute cette lumière que vous avez projetée et qui repousse les indésirables.

Les êtres très sensibles sont souvent très vulnérables, car à côté de leur sensibilité, ils n'ont pas su développer les armes spirituelles : ils ne savent pas lutter, ils ne peuvent pas lutter. Combien ont cru qu'il suffisait de s'abandonner comme ça à une impulsion mystique très vague pour recevoir la Divinité. Eh bien, pas du tout, lorsqu'on se contente d'être passif, il n'est pas sûr que ce soit la Divinité que l'on reçoive, mais plutôt quelques diables qui, voyant là un bonhomme tellement mou, apathique et sans protection, se réjouissent de trouver un endroit où s'installer.

Quoi que vous vouliez entreprendre, il faut commencer par préparer les conditions. Quand vous devez verser un liquide dans un récipient, vous ne le versez pas dans un récipient sale ; s'il est sale, vous le lavez. Alors, vous-même, si vous êtes un récipient sale, croyez-vous que le Ciel viendra verser des bénédictions, croyez-vous que le Saint-Esprit viendra faire en vous sa demeure ? Comment pouvez-vous espérer que le Saint-Esprit acceptera de s'installer dans un marécage ? Ce qui viendra, ce sont les entités ténébreuses, impures, parce qu'elles sont attirées par la nourriture qui est là en vous sous forme de passions, d'instincts mal maîtrisés. Bien sûr, le Saint-Esprit peut venir, oui, mais seulement le jour où vous lui aurez préparé, à force de travail, un tabernacle digne de lui.

On sait malheureusement ce qui arrive à tous ces gens qui veulent recevoir le Saint-Esprit sans y être préparés, quels désordres s'emparent d'eux. Le Saint-Esprit les visite soi-disant et ils sont en train de se rouler par terre, de donner des ruades, de pousser des cris inarticulés — ce qu'ils appellent « parler en langues ». Quelle image ils donnent du Saint-Esprit ! Il n'est même pas pédagogue, puisqu'il ne sait pas parler dans des langues que les autres comprennent. Ce Saint-Esprit-là est peut-être un grand polyglotte, mais la pédagogie lui manque, car un pédagogue cherche avant tout à se faire comprendre. Comment imaginer que le Saint-Esprit, qui est un principe cosmique de la plus grande sagesse et puissance, puisse se manifester de façon tellement ridicule, en projetant les gens par terre pour parler à travers eux ? Quand vous parlez à un ami, à votre mari, à votre femme, est-ce que vous vous roulez par terre en vociférant pour les convaincre ? Non ? Eh bien, vous êtes mieux inspiré que tous ces gens soi-disant visités par le Saint-Esprit.

Si vous voulez véritablement entrer en communication avec le Ciel, efforcez-vous d'abord de gravir les sommets de votre être intérieur. Restez là le plus longtemps possible à goûter cette vie intense et, comme il est difficile de maintenir très longtemps cette intensité, au bout d'un moment vous pouvez vous abandonner, vous laisser porter par la lumière comme si vous flottiez sur une mer calme... vous ne pensez plus, vous ne sentez presque plus... Là vous ne courez plus aucun danger, car c'est votre âme qui est là, vivante, vibrante pour s'imprégner des éléments les plus purs, les plus lumineux. Et quand vous devez reprendre vos travaux de la vie quotidienne, vous sentez que ces éléments spirituels rétablissent et harmonisent tout en vous. Votre désir de travailler, d'aider les autres, de les aimer, augmente, et c'est une sensation qui ne trompe pas. Voilà, c'est simple, c'est clair.

# V

# FAUT-IL CONSULTER DES CLAIRVOYANTS ?

Combien de gens s'imaginent que la spiritualité consiste à peu près uniquement à lire quelques bouquins d'occultisme, à assister à quelques séances spirites et à consulter des clairvoyants pour qu'ils leur révèlent leur avenir ou leurs vies antérieures ! Ah, ça, des clairvoyants, ils en trouveront, ça pullule ! Il y en a des milliers et des milliers qui se disent médiums, voyants extra-lucides et qui font des réclames dans les journaux pour leurs horoscopes, leurs talismans et leurs bijoux qui vous apporteront tout, le bonheur, la richesse, l'amour, la chance. Moi je crois qu'il existe quelques grands clairvoyants dans le monde, mais la majorité, ne m'en parlez pas !

Personne ne croit autant que moi à la clairvoyance et je suis heureux que la science officielle commence à admettre qu'il existe sur la terre des créatures qui possèdent des facultés de perception extra-sensorielle et à les étudier. Mais en réalité, pour moi, la question n'est pas de douter ou de croire, mais de trouver les meilleures méthodes de

travail pour avancer dans la vie spirituelle... Les
meilleures, c'est-à-dire les moins dangereuses, les
plus efficaces, peut-être les plus longues, mais les
plus durables. Le malheur, c'est que les gens sont
pressés, ils n'ont ni la patience ni la confiance pour
s'engager sur une voie lumineuse, plus lente mais
plus sûre. Ils sont pressés, ils veulent devenir clairvoyants comme on devient pédicure ou manucure,
et dès qu'ils obtiennent un petit résultat, ils font tout
un tapage avec ça pour attirer des clients et c'est
ainsi qu'ils induisent beaucoup de gens en erreur,
profitant de ce que la foule n'a pas de discernement
et avale tout.

Combien d'hommes et de femmes ont décidé
d'exercer la profession de clairvoyant, de médium,
parce qu'ils sont incapables de faire autre chose !
J'en ai connu beaucoup comme ça. Pendant des
années, je les ai vus essayer un métier, puis un autre,
mais rien ne marchait ; et un jour j'apprenais qu'ils
s'étaient installés comme clairvoyants, cartomanciens, radiesthésistes... J'étais stupéfait. On vit
n'importe comment, on ne pratique aucune discipline, et on est clairvoyant ! Sous prétexte qu'on
a donné par hasard quelquefois une ou deux réponses justes ou fait quelques rêves prémonitoires, on
se dit clairvoyant. Et il y en a, il y en a comme ça !
Je ne dis pas qu'ils ne possèdent pas quelques petites facultés et quelques petits dons psychiques, si,
un peu d'intuition, un peu de sensibilité au monde

invisible, mais surtout beaucoup d'habileté et de toupet. Ils ont compris que les humains ont besoin d'être rassurés, flattés, et alors ils leur disent ce qu'ils ont envie d'entendre.

Quelquefois même, ils ne voient rien, mais pour ne pas décevoir ceux qui viennent les consulter, pour ne pas perdre leur prestige, ou même tout simplement pour ne pas perdre d'argent, ils font des réponses vagues, en essayant de ne pas se compromettre. Il n'y a pas beaucoup de voyants honnêtes qui vous diront franchement : « Excusez-moi, mais aujourd'hui je ne peux rien vous dire, je ne vois rien, revenez une autre fois. » Non, non, ils font semblant. Au début, bien sûr, les gens doutent peut-être un peu de ce qu'on leur raconte. Mais ça leur fait tellement plaisir de s'entendre dire qu'ils vont enfin trouver l'homme ou la femme de leur vie, recevoir un héritage ou satisfaire toutes leurs ambitions ! Et si ça n'arrive pas, ça ne fait rien, ils espèrent toujours... Tandis que celui qui leur prédira qu'ils vont avoir à affronter des difficultés, des épreuves, ils n'ont plus envie de le consulter, même si cela se réalise : ils ont l'impression que ce clairvoyant n'est pas bénéfique pour eux et ils retournent vers celui qui leur prédit tous les succès. Si les magnifiques prédictions ne se réalisent pas, ils vont à nouveau le voir pour lui demander ce qui s'est passé. « C'est simplement retardé à cause de telle ou telle position des astres », dit le clairvoyant, pour les rassurer,

« mais ça va venir, patientez »... Et voilà de nouveau l'espérance, de nouveau la joie.

Eh oui, c'est comme ça... Alors, qui est fautif ?
Ceux qui vont consulter des clairvoyants d'abord,
bien sûr. Puisqu'ils ont tellement besoin qu'on leur
raconte des histoires, ils trouveront toujours des personnes très bonnes, très charitables, qui se feront
un plaisir de leur en raconter. Quant à ces soi-disant
clairvoyants qui prétendent conseiller les autres,
répondre à leurs questions sur le passé, le présent,
l'avenir et résoudre leurs problèmes, comment ne
sentent-ils pas qu'ils risquent d'égarer les gens ?
Quelle responsabilité ! Et pourquoi font-ils ça ?
Pour l'argent ? Pour le prestige ?... Eh bien, il faut
qu'ils sachent que le monde invisible n'aime pas
qu'on se serve ainsi de lui et qu'il les punira.

Je le répète, je ne nie pas que certaines personnes aient un don, bien sûr, mais ce don ne les met
pas à l'abri des faiblesses, et il ne les protège pas
non plus des entités ténébreuses qui viennent visiter justement tous ceux qui ne savent pas résister
aux tentations, aux convoitises. On peut être clairvoyant et à côté de cela se manifester comme un
être d'une moralité douteuse. Comme on peut être
aussi poète, musicien ou philosophe, et vivre à peu
près comme un animal. Certains ont un don de clairvoyance parce qu'ils ont dû dans une autre incarnation faire des efforts nécessaires pour l'obtenir ;
et maintenant ils se laissent aller à leurs tendances

inférieures, alors tout marche ensemble : leurs faiblesses, leurs vices et leur don de clairvoyance. Jusqu'au moment où ils perdront ce don, comme perdront aussi leur don de poète, de musicien ou de philosophe tous ceux qui n'auront pas su travailler intérieurement pour les conserver. D'ailleurs, le don de ces clairvoyants ne peut pas être bien remarquable s'ils n'ont pas d'autres qualités. Alors, attention, si vous voulez absolument consulter des clairvoyants, au moins que ce ne soit pas n'importe qui.

Maintenant, je voudrais aussi attirer votre attention sur un point : beaucoup de gens vont consulter des clairvoyants et leur posent des questions dont ils pourraient trouver la réponse eux-mêmes si seulement ils faisaient appel à leur propre intelligence, jugement et bon sens. Combien d'indices ils ont là devant eux, sous leurs yeux, mais ils ne les voient pas, ils ne les entendent pas, et pour être éclairés ils iront consulter clairvoyants, radiesthésistes, cartomanciens. Mais à quoi cela sert-il que le Seigneur ait donné à chacun des yeux, des oreilles, un cerveau, si c'est toujours pour aller interroger les autres ?

Et d'ailleurs, pourquoi va-t-on ainsi interroger les autres ? Pour connaître la vérité ? Pas du tout : et même souvent c'est le contraire : on les interroge pour être encouragé à mal faire. Par exemple, combien d'hommes et de femmes mariés qui ont envie de se séparer de leur conjoint pour vivre avec quelqu'un d'autre qui leur plaît davantage, iront consulter une clairvoyante avec l'espoir qu'elle leur dira : « Oui, oui, vous faites bien, c'est là que le bonheur vous attend. » Et d'ailleurs c'est le plus souvent ce que répond la soi-disant clairvoyante. Alors que s'ils consultaient une autre clairvoyante, la vraie celle-là, la seule qui voit vraiment clair, leur nature supérieure, ils pourraient entendre sa voix qui leur dirait : « Mon enfant, attention, c'est grave, d'abandonner une famille, tu as des devoirs envers elle. Réfléchis bien, tu le regretteras peut-être un jour. » Mais ils n'ont aucun désir d'entendre cette voix intérieure, ils préfèrent celle de n'importe quelle personne étrangère à condition qu'elle les encourage à satisfaire leurs désirs.

Certains diront : « Mais nous avons besoin de consulter des clairvoyants pour connaître notre avenir, car on ne sait jamais ce que réserve l'avenir et on est inquiet, c'est cela qui nous préoccupe. » D'accord, mais pour connaître votre avenir vous n'avez pas besoin de clairvoyants. C'est tellement facile de connaître son avenir ! Evidemment, pas en ce qui concerne la profession, le mariage, les gains ou les pertes d'argent, qui ne sont d'ailleurs pas ce qu'il y a de plus important. Mais l'essentiel, c'est-à-dire savoir si vous avancerez sur le chemin de l'évolution, si vous serez libre, heureux, dans la lumière, dans la paix ou non, là, oui, c'est très facile et je peux vous le montrer.

Si vous avez un amour irrésistible envers tout ce qui est grand, noble, juste, beau, si vous travaillez de tout votre cœur, de toute votre pensée, de toute votre volonté pour l'atteindre et le réaliser, votre avenir est tout tracé : vous vivrez un jour dans des conditions qui correspondent à vos aspirations, à votre idéal. Voilà l'essentiel à savoir sur votre avenir. Tout le reste : les possessions, la gloire, les relations avec tel homme ou telle femme, et même la santé, c'est secondaire parce que c'est passager, cela peut vous être donné et repris. Il ne vous restera véritablement un jour que ce qui correspond exactement aux aspirations de votre âme et de votre esprit.

Si la plupart des humains n'ont qu'une destinée médiocre, c'est qu'ils ne savent pas maintenir en eux la bonne orientation : ils oscillent entre la lumière et les ténèbres et leur avenir est toujours incertain. Tâchez donc désormais de canaliser toutes vos énergies et de les orienter vers ce monde lumineux de l'harmonie, de l'amour : le monde divin. Même s'il y a de temps en temps quelques ombres qui apparaissent, cela ne durera pas ; dans la mesure où vous maintenez dans votre esprit la bonne orientation, il arrivera un jour où vous ne dévierez plus. Voilà l'essentiel, et moi je ne m'occupe que de l'essentiel : pour savoir le reste, allez consulter qui vous voudrez mais dites-vous bien que ce ne sera jamais l'essentiel.

En tout cas, sachez que vous n'obtiendrez rien d'autre que vous n'ayez préalablement préparé. Oui, c'est mathématique. Si vous avez, par exemple, les trois lettres, a, b, c, les combinaisons que vous pouvez faire avec elles sont limitées : ab, ac, ba, bc, ca, cb. Donc, six combinaisons, pas plus. Si vous avez telle qualité ou tel défaut, tel talent ou telle lacune, les situations qui en résulteront pour vous refléteront exactement les combinaisons de ces éléments, inutile d'aller chercher ou espérer autre chose.

C'est d'ailleurs de cette façon que s'explique la question de la grâce. Telle qu'elle est présentée dans la religion chrétienne, cette question n'est pas claire du tout. On a l'impression que, par le seul caprice du Ciel, les uns sont visités par la grâce et les autres non, ce qui fait qu'on ne sait jamais pourquoi ni comment la grâce peut toucher les uns et être refusée aux autres, et cela a créé une grande confusion ou même des sentiments de révolte chez les chrétiens. En réalité, la grâce ne va toucher que celui qui le mérite. Seulement cette question ne peut être réellement comprise qu'à la lumière de la réincarnation, c'est-à-dire si on admet que chaque être humain reçoit dans cette existence ce qu'il mérite d'après sa conduite dans ses existences antérieures. Celui qui a déjà donné dans d'autres vies des preuves de résistance, de noblesse, d'amour, de sens du sacrifice, évidemment le Ciel lui accorde sa grâce et lui confie de hautes missions.

Donc, voilà, la destinée humaine est régie par des lois précises, mathématiques. Il faut comprendre cela : votre avenir dépend de l'orientation que vous donnez maintenant à votre vie. De même, ce que vous êtes maintenant est le résultat de ce que vous avez fait dans le passé. C'est pourquoi il n'est pas tellement utile non plus d'aller consulter des clairvoyants pour connaître vos vies antérieures, car qu'espérez-vous apprendre ?... Certaines personnes sont venues me rapporter ce que des clairvoyants leur avaient dit sur leur passé et là encore j'étais stupéfait ! Un homme doux, gentil, humble, qui n'aurait jamais fait de mal à une mouche, j'apprenais qu'il avait été Napoléon. Oh là là, quelle transformation rapide ! Et un autre, tellement limité intellectuellement, avait été Shakespeare... Je veux bien, mais c'est un peu invraisemblable. D'ailleurs, si vous saviez toutes les personnes qui sont venues se présenter à moi comme des réincarnations de saints, de saintes, de génies, de rois, de reines, de pharaons, d'Initiés ! Moi aussi, des clairvoyants m'ont fait des révélations. Je ne vous dirai pas ce qu'ils ont trouvé à mon sujet, mais seulement que certains sont allés jusqu'à découvrir qui avait été ma femme, ma mère ou mes filles dans d'autres vies. Ce qui est extraordinaire, c'est que maintenant je ne me sens plus aucune affinité avec ces personnes-là, j'ai tout oublié ! Aussi, souvent je me pose la question : pourquoi je n'arrive pas à reconnaître les

miens ? J'ai des affinités avec certains dont on ne
m'a jamais dit qu'ils avaient été mes parents ou mes
enfants, et voilà que tout à coup, on m'en présente
d'autres en me disant qu'ils ont été mes fils, mes
filles, ma femme, ma mère...

Là encore, comprenez bien, je ne veux pas dire
qu'on ne doive rien croire de ces choses-là, non, il
y a souvent une part de vérité. Quand un être est
sensible et psychiquement développé, il capte certains messages de l'invisible, mais il est rare qu'il
ne se glisse pas d'erreur dans ce qu'il a cru capter
et alors il vous raconte un mélange inextricable de
vrai et de faux. Pour savoir à quoi s'en tenir, il faudrait pouvoir vérifier. Mais d'ailleurs, est-ce que
tout cela est vraiment utile ? A quoi cela peut-il vous
servir qu'on vous révèle votre passé ? Si c'était vraiment souhaitable, j'aurais été le premier à le faire.
Or, justement je ne le fais pas. Evidemment, vous
pouvez penser que je n'en suis pas capable, qu'il
me manque ces facultés que les autres possèdent à
la perfection. Eh bien, pensez ce que vous voulez...

En tout cas, ce n'est ni psychologique ni péda-
gogique de parler aux humains de leurs réincarnations. Bien sûr, le moment viendra dans votre évolution où vous pourrez vous en occuper, mais il faudra d'abord que vous soyez un peu plus développé
et maître de vous-même. Imaginez que l'on vous
révèle que tel ou tel a été votre plus grand ennemi
dans le passé, qu'il vous a assassiné. Si vous êtes

faible, si vous ne savez pas vous contrôler, qu'est-ce que cela va donner ?... Donc ce sont des révélations dangereuses, elles risquent de vous troubler et d'éveiller en vous certains sentiments qui entraveront votre évolution. S'il était tellement important de connaître ses réincarnations, pourquoi la Providence les cacherait-elle aux humains ? Si elle les leur a fait oublier, c'est qu'il doit y avoir une raison, non ?... Tout simplement pour éviter de nouveaux égarements.

Tant que vous ne vous doutez pas du mal que vous a fait telle ou telle personne, vous la supportez, vous l'aidez. Si vous le saviez, comment vous conduiriez-vous ? Imaginez aussi un père et une mère qui apprendraient que leurs enfants ont été leurs pires ennemis dans une autre vie, quelle complication ! Il vaut donc mieux qu'ils ne le sachent pas, et ainsi ils les aiment, ils les élèvent et, en s'acquittant envers eux, ils paient leur karma. La Providence a voulu justement laisser les humains dans l'ignorance de certaines situations pour qu'ils puissent mieux s'acquitter de leurs dettes les uns envers les autres. Bien sûr, à un être très évolué, très maître de lui-même, on peut tout révéler sans danger, mais de tels êtres sont rares.

Alors, je vous le conseille, laissez vos réincarnations tranquilles, leur révélation ne vous apportera rien. Surtout si on doit vous raconter que vous avez été tel saint, tel prince, tel Initié, comme le font

certains qui, pour vous mettre dans leur poche
et obtenir ainsi votre aide ou votre argent, vous
inventent des incarnations tellement·magnifiques
que vous êtes ébloui... et embobiné ! Oui, c'est
ainsi qu'on embobine les gens. Quand on leur raconte des histoires pareilles, ce n'est pas pour
leur bien, mais pour les mettre dans sa poche. Si
vous voulez vraiment faire du bien aux êtres, il
vaut mieux leur révéler leurs lacunes, leurs faiblesses, que de leur tourner la tête avec leur passé glo-
rieux... surtout si ce n'est pas vrai ! Et même si c'est
vrai, l'essentiel, c'est ce qu'ils sont maintenant,
pas ce qu'ils étaient dans le passé. Pourquoi se
gargariser toujours avec le passé ? C'est le présent
qui est important, et dans le présent il y a toujours
quelques lacunes à combler, quelques faiblesses à
corriger.

Bien sûr, les gens n'aiment pas qu'on leur parle
de leurs faiblesses, je le sais, mais justement c'est
une raison de plus pour avoir le courage de le faire :
cela prouve qu'on est désintéressé. Et c'est ce que
fait un véritable Initié, un véritable Maître. Quand,
aux risques de perdre votre amitié, il vous secoue
et vous dit des choses désagréables pour vous
éviter de vous égarer, il se montre votre ami, votre
véritable ami. Et si à ce moment-là vous ne comprenez pas, vous vous fâchez et vous le quittez...
c'est très bien ! Car que peut faire un Maître avec
quelqu'un de stupide qui ne demande que des

compliments et des louanges ? Pour voir à qui il a affaire, un Maître commencera par vous parler de vos faiblesses, et ensuite, quand il verra comment vous réagissez, comment vous comprenez, il décidera s'il doit vous révéler des merveilles sur votre passé ou sur votre avenir.

# VI

## AIMEZ ET VOS YEUX S'OUVRIRONT

Souvent j'ai demandé à certains : « Pourquoi tenez-vous tellement à développer la clairvoyance ? » et ils me répondaient : « Mais pour aider tous ceux qui ont des problèmes et qui souffrent... Grâce à la clairvoyance, on peut les avertir, leur donner des conseils... » Eh bien, non, on n'aidera pas les humains en « voyant » leurs problèmes ou en les avertissant des dangers qui les menacent.

D'abord, vous le savez bien, ce n'est pas toujours parce qu'on les voit venir qu'on peut empêcher les événements de se réaliser. Et puis, je vous l'ai déjà dit, souvent dans la vie quotidienne il vaut mieux ne pas voir ce qui se passe dans la tête ou le cœur des gens. Oui, on ne peut pas les aider si on a les yeux trop ouverts, il est préférable souvent de ne rien voir. L'ignorance fait qu'on les aime encore, qu'on continue à être gentil avec eux et à vouloir leur faire du bien.

Ne croyez pas non plus que si, comme beaucoup de médiums, vous ressentez les douleurs ou les chagrins des gens, vous pourrez davantage leur venir en aide. Pour comprendre les autres et les aider, il n'est pas nécessaire de ressentir et de vivre exactement ce qu'ils vivent. Il est même préférable de ne pas le vivre, car c'est une forme de sympathie qui vous maintient le plus souvent dans le plan astral. Il vaut mieux essayer de s'élever jusqu'au plan mental pour réfléchir, raisonner. Si l'on est suffisamment attentif, si l'on sait écouter, observer à partir de quelques éléments que l'on découvre concernant les personnes, il est possible, en s'exerçant, de deviner ce qu'elles sont, ce qu'elles sentent, ce qu'elles pensent, ce dont elles ont besoin, sans en être soi-même affecté. Certains êtres ont ainsi une pénétration psychologique qui est une forme de clairvoyance. Lorsqu'on se contente de sentir sans comprendre et sans connaître, non seulement on est vulnérable, mais on ne peut pas être tellement utile aux autres.

Moi, je vous dirai que la vraie clairvoyance sur les êtres provient de la capacité de s'oublier un peu. Se prendre pour le centre du monde en faisant tout converger vers soi, ses intérêts, ses satisfactions au point que presque rien d'autre n'existe, c'est le plus sûr moyen de devenir ou de rester aveugle.

Beaucoup de problèmes et même des tragédies pourraient être évités dans les familles, si justement il y régnait un peu moins d'égoïsme. Voilà, par exemple, un mari qui, entièrement accaparé par ses ambitions professionnelles ou politiques, passe son temps hors de chez lui en voyage, en réunions. Quand il rentre fatigué, préoccupé, il embrasse distraitement sa femme et ne lui pose même pas de question sur elle, sur ses activités, ses soucis, ses désirs. Tellement pris par ses propres affaires, il ne voit pas qu'elle est en train de changer parce qu'elle aussi est fatiguée, elle s'ennuie, elle voudrait une autre vie que celle-là. Un soir, quand il rentre chez lui, il découvre, stupéfait, que sa femme est partie et il ne comprend pas. Alors, que va-t-il faire, ce mari aveugle ? Il ira voir une clairvoyante pour lui demander si sa femme reviendra ! Il avait tout sous les yeux pour voir ce qui risquait de se produire, mais il n'a rien vu, et maintenant c'est une clairvoyante qui doit voir à sa place !

D'autres fois, c'est le père et la mère qui, occupés avec leurs problèmes, ne voient pas ce qui se passe avec leurs enfants, jusqu'au jour où ils découvrent, épouvantés, qu'au lieu d'aller à l'école ces enfants traînent dans les rues ou les cinémas, participent à des trafics louches ou se droguent… S'ils avaient été un peu moins égocentriques, ils auraient senti les dangers que couraient leurs enfants.

Bien sûr, en m'entendant dire que, pour devenir clairvoyant, il faut s'occuper des autres, vous êtes déçu, vous espériez autre chose. Eh bien non,

la méthode que je vous donne là est la meilleure,
celle qui peut vraiment vous être utile : c'est d'écouter les autres, de les comprendre, de les respecter
et de les aimer même, si vous le pouvez. C'est là
véritablement que vous devenez perspicace, intuitif.

Lorsqu'un enfant est tout petit, il n'a pas
d'autres préoccupations que de se nourrir, de toucher et s'approprier les objets qui l'entourent, d'attirer l'attention sur lui et dès qu'il n'obtient pas ce
qu'il veut, il crie, il pleure, il tape du pied. L'enfant
est un petit monstre d'égoïsme. Oui, mais à cet âge-
là, c'est normal, c'est naturel. Les adultes, le père,
la mère comprennent qu'on ne peut rien lui demander d'autre. Mais s'il garde ce même comportement
quand il est plus grand, on le gronde, on lui donne
même quelques tapes, car il faut qu'il change et cesse
de ne penser qu'à lui. Plus tard, il éprouvera le
besoin de former un couple, puis d'avoir des
enfants... Pourquoi l'Intelligence cosmique a-t-elle
arrangé les choses ainsi ? Pour amener les humains
à s'occuper d'autres êtres qu'eux-mêmes, en commençant par un mari, une femme, et des enfants
tout d'abord. Mais combien ont compris cette leçon
que veut leur donner l'Intelligence cosmique ? Combien sont capables de s'oublier vraiment pour penser ne serait-ce qu'à leur famille ?

Quant à ceux qui y sont parvenus, ils doivent
encore savoir que le cercle de la famille n'est pas

le but à atteindre. Le but, c'est de penser à la collectivité. Le cercle familial est, bien sûr, le commencement de la collectivité : la famille aide l'individu à sortir de lui-même ; mais elle ne doit pas, à son tour, le limiter et l'accaparer entièrement. Chaque individu doit aller plus loin, voir plus large et essayer de penser à la grande famille de l'humanité. De même qu'il aime sa famille, le disciple s'efforce d'aimer tous les autres êtres comme s'ils faisaient aussi partie de cette famille. C'est alors qu'il sent s'éveiller une autre conscience, une autre vision : il devient clairvoyant, véritablement clairvoyant.

La véritable clairvoyance, l'homme ne l'obtient que lorsque son cœur commence à aimer. Oui, la véritable clairvoyance, les yeux véritables se trouvent dans le cœur ; dans l'intellect aussi, mais plus encore dans le cœur. Lorsque vous aimez quelqu'un, que voyez-vous en lui ? Des choses qu'ordinairement personne ne voit. On dit que l'amour rend aveugle. Non, l'amour ouvre les yeux. L'homme qui aime une femme la trouve pareille à une divinité... et ne lui dites pas qu'il se trompe ! D'ailleurs, est-ce que vraiment il se trompe ? En apparence, oui. Mais en réalité si quelqu'un paraît exagérer les beautés de l'être qu'il aime, c'est qu'il le voit tel que Dieu l'a créé à l'origine, ou tel qu'il sera à la fin de son évolution, quand il retournera dans le sein de l'Eternel.

Alors, on n'a pas encore compris la puissance grandiose de l'amour : c'est l'amour qui ouvre les yeux. Si quelqu'un veut devenir clairvoyant, il faut qu'il commence par l'amour. Il faut que son cœur crie comme les aveugles de l'Evangile : « Aie pitié de nous, Seigneur ! » Et un jour la lumière cosmique viendra et demandera : « Que veux-tu que je fasse pour toi ? — Que mes yeux s'ouvrent ! — Bien. » Et vos yeux s'ouvriront.

# VII

## LES MESSAGES DU CIEL

Combien de gens se plaignent : « Je prie, je demande l'aide du Ciel, mais je ne reçois aucune réponse, le Ciel ne m'entend pas, il ne m'écoute pas. » Mais non, pas du tout, c'est eux seulement qui ne savent pas entendre les réponses.

Il faut savoir qu'il se produit dans notre organisme psychique les mêmes phénomènes que dans notre organisme physique. Celui qui respire un air qui n'est pas pur, qui mange une nourriture malsaine, introduit dans son organisme des impuretés que celui-ci ne parvient pas à éliminer, et les échanges ne se font plus correctement entre son corps physique et les forces de la nature. De la même façon, celui qui ne surveille jamais ses pensées, ses sentiments et ses actes, introduit des impuretés dans son organisme psychique et ces impuretés forment un écran opaque entre lui et le monde divin ; alors, évidemment, les communications sont coupées.

Le monde divin répond à nos questions, il nous envoie continuellement des messages, mais pour les

recevoir il faut se préparer, et se préparer signifie
améliorer sa façon de vivre en travaillant sur ses pensées, ses sentiments et ses actes afin de les purifier.
Combien de personnes qui s'imaginaient avoir
entendu la voix du Ciel ont été la proie des pires
égarements ! Parce que la voix du Ciel était passée
par le prisme déformant de leur nature inférieure.
Combien de cas j'ai rencontrés dans ma vie ! Vraiment des cas terribles : des personnes qui venaient
me dire ou me demander de la part du Ciel des choses complètement insensées. Et impossible de leur
enlever leurs idées de la tête : c'était le Ciel qui les
envoyait, et moi je devais obéir aux ordres du Ciel
qu'elles me transmettaient. Comme, bien sûr, je
n'obéissais pas, elles s'obstinaient jusqu'à en perdre presque la raison. J'étais triste de les voir ainsi,
mais que faire ? Pour d'autres c'était moins grave,
les voix du Ciel ne demandaient rien d'extravagant
et je souriais en leur laissant penser que je les
croyais.

La région inférieure de la lune, je vous l'ai déjà
dit, est la région des brumes, c'est-à-dire des illusions, des égarements. Or, c'est précisément avec
cette région inférieure de Iésod que sont en relation
un grand nombre de soi-disant médiums, guérisseurs, radiésthésistes, clairvoyants, etc. Je ne dis pas
qu'ils ne possèdent aucune faculté, mais ce que je
critique chez la plupart, c'est leur prétention. Dès
qu'ils se découvrent le moindre don dans ce

domaine, au lieu de se dire qu'ils doivent travailler pour développer ce don, ils courent à droite et à gauche faire des prédictions et transmettre des messages du Ciel. Certains donnent même la date de la fin du monde et envoient des avertissements aux chefs d'Etat !

Vous allez me dire : « Mais comment, vous ne croyez pas que certains êtres reçoivent réellement des messages du Seigneur ? » Mais si, je le crois, seulement quand je compare tous ces messages adressés, paraît-il, par Dieu Lui-même, je suis obligé de constater combien ils sont contradictoires. Je veux bien qu'ils viennent de Dieu Lui-même, seulement on a plutôt l'impression qu'ils viennent de plusieurs dieux et, vous savez, il y a tellement d'entités dans le plan astral qui veulent jouer ce rôle ! L'être qui n'a pas de discernement est perdu, il tombe dans leurs pièges. Si c'était Dieu Lui-même qui parlait par la bouche de tous ces messagers, les messages auraient au moins la même teneur, le même style, la même sagesse, ils donneraient les mêmes genres de conseils. Mais voilà qu'à certains, le Seigneur adresse des paroles grandioses, sublimes, et à d'autres Il raconte des histoires puériles, ridicules ou même insensées... on a honte pour Lui !

Tous ces prophètes, médiums, guérisseurs et messagers du Ciel seraient surtout bien inspirés de commencer par s'instruire un peu pour mieux recevoir les messages et avoir un plus grand discernement. Avant de parler ou d'agir au nom du Seigneur, qu'ils vérifient d'où vient la voix qui leur parle. Avant de vouloir instruire ou guérir les autres, il est préférable de s'instruire soi-même, car si l'on n'a pas fait de bonnes études, il est très facile de tomber dans les illusions et de commettre des erreurs. Même les études de la science officielle sont dans certains cas absolument nécessaires. Comme les études de médecine, par exemple. Car si, sous prétexte qu'on croit avoir reçu comme ça tout d'un coup un don de guérisseur, on se met à soigner les gens, c'est très dangereux. Qu'il existe des êtres qui, grâce à la pratique de certaines vertus et un amour immense pour les humains, ont acquis un magnétisme qui leur permet d'agir bénéfiquement sur leur état physique, oui, c'est entendu, mais ils sont rares. Celui qui veut vraiment soigner les gens doit commencer par faire des études de médecine, sinon il risque de les rendre encore plus malades qu'ils ne sont. Je ne dis pas, bien sûr, que la médecine officielle soit idéale, car dans ses investigations, elle ne va souvent pas au-delà du corps physique, mais les connaissances qu'elle donne sont indispensables. Si vous voulez ensuite aller plus loin et orienter vos recherches dans d'autres domaines plus subtils, plus spirituels, c'est très bien, mais ne vous mettez jamais à soigner les gens sans étude et préparation préalables. Là encore, les voix qui poussent certains dans ce sens ne viennent absolument pas du Ciel.

Les différentes disciplines prescrites par les religions du monde entier (retraite, jeûne, ablutions, prière) ont pour rôle de préparer les êtres à bien recevoir les courants et les messages du Ciel. En réalité, bien sûr, ce n'est pas l'acte lui-même de jeûner ou de faire une retraite qui est essentiel. L'essentiel, c'est d'entreprendre un travail intérieur de dépouillement, de purification : améliorer ses pensées, ses sentiments et ses actes. Celui qui n'est pas décidé à accomplir ce travail ferait mieux de ne pas s'occuper de spiritualité, sinon il deviendra un danger pour lui-même et pour les autres. Tant qu'on ne s'est pas débarrassé de tous ses préjugés, ses partis pris, ses tendances inférieures, il n'y a rien de pire que de se prendre pour un messager du Ciel, un instrument du Ciel. On a vu comme ça des gens qui ont fini par devenir des bourreaux de leur famille ou même de leur peuple. Seul celui qui est véritablement pur et désintéressé peut prétendre être un messager du Ciel.

Tout dans la nature souligne cette loi : pour que la vie passe, pour que la lumière passe, pour que les courants célestes passent, il faut libérer le chemin. Pourquoi les pierres précieuses sont-elles si appréciées ? Parce qu'elles sont transparentes, parce qu'elles laissent passer la lumière... Et si la nature a réussi à travailler aussi formidablement sur certains matériaux, à les affiner, les purifier, les colorer pour en faire ces merveilles que nous admirons aujourd'hui : cristal, diamant, saphir, émeraude, topaze, rubis, pourquoi l'être humain n'arriverait-il pas à faire ce même travail en lui-même ? Que sont la prière et la méditation ? Justement des activités grâce auxquelles l'homme parvient à tout purifier et illuminer en lui-même jusqu'au jour où il deviendra comme une pierre précieuse. Et le Seigneur, qui apprécie les pierres précieuses, le met sur sa couronne. C'est symbolique, bien sûr, mais c'est absolument réel. Combien parmi vous pensent qu'ils ont ce travail à faire : devenir une pierre précieuse ? Pas beaucoup.

Quant à la majorité des humains, n'en parlons pas : pour eux, l'essentiel, c'est de réussir matériellement, de goûter tous les plaisirs, de satisfaire leurs ambitions, et la purification est à la dernière place. Ils passent leur temps à s'obscurcir, se salir, et ensuite ils sont étonnés de se retrouver dans des états déplorables. C'est parce qu'ils vivent une vie impure, tout simplement, et ils ne savent même pas ce qui est pur et ce qui est impur. Pourtant, c'est la première chose qu'il faut connaître afin de pouvoir faire un triage. Le triage, tout le monde le fait chaque jour pour la nourriture en enlevant, selon les aliments, les arêtes, la peau, les pépins, le noyau ou quelque autre partie non comestible. Eh bien, il faut apprendre à le faire aussi pour cette autre nourriture que sont les pensées et les sentiments, afin d'en éliminer tous les éléments d'égoïsme, d'agres-

sivité, d'injustice. Voilà la tâche la plus importante
pour le disciple, et du moment que c'est la tâche
la plus importante, il faut lui consacrer beaucoup
de temps tous les jours. Le reste n'a aucune importance à côté de la question du triage des pensées et
des sentiments. Car toutes vos activités seront
empoisonnées tant que cette question n'aura pas été
correctement réglée.

Tous ceux qui ne travaillent pas véritablement
à transformer leur façon de vivre, qui continuent
à se laisser tirailler par leurs désirs inférieurs, sans
jamais rien entreprendre pour les maîtriser, même
s'ils demandent au Ciel de les éclairer, la réponse
qu'ils recevront sera mensongère. Vous direz que
certains clairvoyants qui ont un don réel mènent
pourtant une vie désordonnée. Oui, c'est vrai, dans
d'autres incarnations ils avaient certainement fait
des efforts nécessaires pour développer cette qualité, et même si maintenant ils se sont relâchés, ils
la possèdent toujours, car on ne perd pas du jour
au lendemain une faculté qu'on a longtemps travaillé à acquérir ; mais s'ils ne se redressent pas, ils
la perdront. Et c'est vrai aussi pour tous les autres
dons ou qualités. Si on veut les conserver, il ne faut
pas vivre n'importe comment.

Chaque jour le Ciel nous parle, il nous envoie
des messages, mais ces messages, qui arrivent d'un
espace dont la matière est extrêmement subtile, doivent traverser toutes les couches impures que nous

avons accumulées autour de nous, et ils subissent
des déformations. Prenez un bâton, plongez-le dans
un récipient d'eau aux parois transparentes et obser-
vez : à l'endroit précis où il pénètre dans l'eau, le
bâton semble brisé. C'est la différence de densité
entre l'air et l'eau qui produit cet effet de défor-
mation. Il en est de même dans le plan psychique :
plus les choses doivent descendre dans une matière
dense, plus elles y seront déformées. Pour les connaître dans leur vérité, il faut pouvoir s'élever par
la pensée jusqu'au monde subtil d'où elles sont
issues. Un cerveau épais ne peut pas recevoir les vérités sublimes du Ciel.

Faites donc des efforts pour vous purifier, vous
dépouiller, vous ennoblir : à ce moment-là, seulement à ce moment-là, vous recevrez du Ciel des
réponses claires, limpides, véridiques. Sinon, il y a
tellement de risques d'erreurs qu'il vaut mieux ne
pas écouter ce que vous recevez. Mais même si le
monde contemporain a mis l'intellect, le plan physique, la matière à la première place, en réalité beaucoup d'êtres ont un certain don de médiumnité, de
clairvoyance, et c'est vrai qu'ils captent des éléments
du monde invisible ; mais ce sont des éléments très
mélangés auxquels il vaut mieux ne pas se fier. Seules la pureté, la noblesse, l'harmonie qui émanent
d'un médium peuvent témoigner de sa véracité.

# VIII

# LUMIÈRE VISIBLE ET LUMIÈRE INVISIBLE : SVÉTLINA ET VIDÉLINA

Quand on lit le livre de la Genèse, on découvre que le premier événement de la création fut l'apparition de la lumière. Le premier jour, Dieu dit : « Que la lumière soit ! » La lumière a donc été la première créature que Dieu fit sortir du chaos. Le deuxième jour, Dieu sépara les eaux d'en haut des eaux d'en bas. Le troisième jour, Il rassembla les eaux en un seul lieu pour faire place à la terre, afin qu'elle produise des semences. Et c'est le quatrième jour qu'Il créa le soleil, la lune et les étoiles... Mais alors, quelle était cette lumière créée au premier jour, s'il n'y avait pas encore le soleil ? C'était la lumière primordiale qui n'est pas celle du soleil que nous voyons et grâce à laquelle nous avons aussi la possibilité de voir.

Il existe donc en réalité deux sortes de lumière : la lumière visible et la lumière invisible qui est la quintessence de la création. Certaines langues d'ailleurs, donnent à ces deux sortes de lumière un nom différent. C'est ainsi qu'en bulgare, par exemple, il y a deux mots : « svétlina » et « vidélina ». Le mot « svétlina » désigne la lumière physique et il est formé sur la racine du verbe qui signifie briller. Le mot « vidélina » désigne la lumière spirituelle et il est formé sur la racine du verbe qui signifie voir. Car seule la lumière spirituelle peut nous donner la véritable vision. Et puisque c'est par elle que le monde a été créé, c'est elle qui nous révèle les secrets de la création.

Au quatrième jour, au moment où Dieu a créé le soleil, la lune et les étoiles, est donc apparue svétlina qui n'est qu'une manifestation plus matérielle de vidélina. Et le soleil, qui n'est pas en réalité une boule de feu comme on l'imagine, mais une entité vivante, une créature douée de conscience, le soleil reçoit cette lumière subtile, invisible, vidélina, et la transforme en lumière visible, svétlina, grâce à laquelle il éclaire l'univers. C'est vidélina qui, en se matérialisant, produit svétlina, la lumière physique.

Comme cette lumière, vidélina, est la matière même de la création, elle est diffusée à travers l'espace et pénètre toute chose. L'homme ne la voit pas encore, il ne la sent pas parce qu'il n'est pas encore assez développé spirituellement pour percevoir une réalité aussi subtile, mais en se concentrant souvent sur cette lumière, en méditant sur elle, il peut affiner tellement ses perceptions que non seulement il commence à la sentir, mais il l'attire à lui et peu à peu elle imprègne tout son être.

Le Christ a dit : « Je suis la lumière du monde ». La lumière du monde, c'est le soleil. Mais le Christ est plus que le soleil, et c'est là qu'il faut comprendre justement qu'au-delà de la lumière visible du soleil physique, il existe une autre lumière qui est la véritable lumière du soleil, l'esprit du soleil : vidélina. C'est de cette lumière que parlait Jésus et à laquelle il s'identifiait. Et de même que la lumière matérielle, svétlina, nous permet de voir les objets du plan physique avec nos yeux physiques, la lumière intérieure, la lumière du Christ, vidélina, nous donne accès au monde divin. Nous devons apprendre ce qu'est cette lumière, comment vivre avec elle, en elle, chaque jour travailler à en saisir d'infimes particules et les condenser en nous, jusqu'au moment où nous serons capables de les projeter comme des rayons sur les objets et les êtres du monde invisible, qui nous apparaîtront alors dans leur réalité sublime.

A l'origine, au commencement de toute chose, il y a la lumière. Et la lumière, c'est le Christ, l'Esprit solaire. L'Esprit du Christ se manifeste d'abord dans la séphira Hokmah, la première gloire. Il est le Verbe dont saint Jean dit dans son Evangile que « rien n'a été fait sans lui ». Il se manifeste sous un autre aspect dans la séphira Tiphéret, le soleil. Tiphéret a donc ses racines dans Hokmah où brille vidélina, la lumière divine.

Lorsque vous allez voir le matin le soleil se lever, pensez qu'en vous liant à lui, c'est à son esprit que vous vous liez. Oui, à l'esprit du soleil qui est l'esprit du Christ, une émanation de Dieu Lui-même. Vous exposer au soleil, le regarder ne suffit pas ; pour entrer véritablement en contact avec la quintessence de sa lumière, il faut que ce soit votre esprit qui puisse s'exposer, se lier à lui, se fusionner avec lui. Au moment où vous vous plongez dans le monde de la lumière, quelques particules de cette lumière pénètrent en vous et vous recevez la révélation de la splendeur divine.

# IX

# LES DEGRÉS SUPÉRIEURS
# DE LA CLAIRVOYANCE

Avez-vous déjà réfléchi sur le fait que, pour que nous puissions voir tout ce qui existe autour de nous, il faut que des rayons lumineux viennent frapper les objets ou les êtres pour nous les rendre visibles ? Certains ont appelé le soleil la lampe de l'univers pour exprimer l'idée que c'est grâce à lui que le monde est éclairé et que nous voyons tout ce qui nous entoure. Et quand nous ne pouvons pas être éclairés par le soleil, nous avons besoin d'une autre source de lumière : ampoules électriques, bougies, lampes de poche, phares...

Les objets ne sont donc visibles que dans la mesure où la lumière tombe sur eux et les éclaire, c'est une loi du monde physique et c'est aussi une loi du monde spirituel. Mais dans le monde spirituel, il n'y a pas de lampes que nous puissions allumer comme nous allumons la lampe de notre escalier ou de notre chambre. Si nous voulons y voir, c'est nous qui devons projeter une lumière de nous-mêmes. Voilà pourquoi si peu d'êtres sont capables

de voir dans le plan spirituel : parce qu'ils attendent que les objets soient éclairés. Ils ne savent
pas projeter eux-mêmes ces rayons qui leur permettront de voir. En réalité, tous les objets des
plans astral, mental, causal, etc. émettent de la
lumière, mais leur rayonnement ne peut être capté
par nos yeux physiques. Et c'est donc à nous de
développer nos organes subtils, d'allumer nos lampes intérieures pour projeter des rayons qui, en tom-
bant à la surface des objets ou des créatures, les
rendront visibles.

Il existe plusieurs formes de vision que l'on
nomme différemment suivant les plans auxquels
elles s'appliquent. Au niveau le plus élevé se manifeste la vision de l'esprit que l'on appelle intuition.
Cette vision n'est pas matérielle, bien sûr, et
l'homme n'a souvent même pas conscience qu'il
voit. Mais en réalité, il voit. Quand il reçoit soudain la révélation d'une vérité supérieure, divine,
c'est qu'il est parvenu à projeter très loin, très haut,
des rayons de lui-même qui lui font voir dans l'univers des lois, des correspondances, une structure.
C'est la lumière de l'esprit qui éclaire la réalité divine
et permet de la comprendre.

A un autre niveau, la vision s'appelle sensation,
car la sensation vient aussi d'une sorte de rayonnement que vous projetez sur les objets ou les créatures. Du moment que vous les sentez, vous vibrez
à l'unisson avec eux, vous prenez conscience de leur

existence, de leur présence, et c'est comme si vous les voyiez.

Enfin, il existe une troisième forme de vision qui consiste à saisir, dans le plan éthérique, dans le plan astral, l'existence de lueurs, de couleurs, d'objets, d'entités qui se déplacent. Mais en général, ceux qui ont ces visions ne comprennent pas ce qu'ils voient, ils ne savent pas les interpréter, il faut qu'on les y aide, ou s'ils les interprètent, ils font souvent des erreurs. Donc, cette voyance ne sert pas à grand-chose, souvent même elle arrête les êtres dans leur évolution.

Il y a donc des degrés et des degrés dans la vision. Le degré le plus élevé, c'est l'intuition, qui est à la fois une compréhension et une sensation du monde divin. C'est par là qu'il faut commencer et ensuite, armé de cette compréhension et de cette sensation supérieures, descendre jusqu'à la vision des plans éthérique et astral afin de les parcourir et de les étudier.

En réalité, on peut dire qu'il existe deux écoles : l'une qui enseigne à développer la clairvoyance en commençant par les plans inférieurs pour parvenir progressivement jusqu'à la vision céleste, l'autre qui enseigne d'abord à se tendre vers la Cause première, la Source de vie, Dieu Lui-même, pour descendre ensuite vers la matière. D'après moi, c'est cette méthode qui est préférable : elle comporte moins de dangers car, lorsque vous avez votre pensée et votre cœur concentrés sur le Seigneur, c'est Lui qui vous permet de connaître toutes les régions de l'univers et d'y travailler sans risques. Et même si vous voulez connaître l'Enfer avec les esprits qui l'habitent, c'est Dieu Lui-même qui vous le montrera sous sa protection.

Vous direz : « Mais pourquoi parlez-vous de connaître l'Enfer ? » Pour parvenir au sommet de l'évolution, les grands Initiés sont obligés de descendre jusqu'en Enfer. S'ils évitent l'Enfer par crainte de ce qui les menace, ils ont des lacunes, ils n'ont pas la connaissance totale de la création. Bien sûr, avant de descendre, ils doivent avoir développé certaines qualités indispensables : le savoir, la force, la maîtrise... et surtout ils doivent posséder une aura puissante qui les protège. Les esprits inférieurs et même les démons tremblent devant l'Initié parce qu'ils sentent qu'il a le feu, il a la foudre. C'est pourquoi ils se tiennent à distance tandis qu'il parcourt ces régions où lui sont révélés la nature et les manifestations du mal, les lois du karma et les châtiments infligés aux créatures qui ont transgressé les règles divines. Jésus lui-même est descendu aux Enfers où il a libéré des âmes.

Ceux qui veulent développer la clairvoyance en commençant par les plans inférieurs utilisent parfois des drogues pour exciter certains centres psychiques et c'est très dangereux. D'abord ces drogues attaquent le système nerveux, et ensuite, les créatures qui habitent les régions des plans éthérique et astral n'aiment pas être vues et observées, et elles sont souvent très hostiles à ceux qui les dérangent. C'est pourquoi elles font tout pour les égarer et les tourmenter afin de les obliger à retourner en arrière. C'est ainsi que des milliers de personnes sont les victimes de quelques bribes de connaissances qu'elles ont puisées dans des livres. Ceux qui cherchent à pénétrer dans ces régions sans avoir développé des moyens de défense efficaces comme la lumière et la maîtrise, non seulement sont exposés à des puissances ennemies, mais ils sont ralentis dans leur évolution.

Un véritable Initié sait qu'en travaillant inlassablement à se purifier, à développer la sagesse, l'amour, la maîtrise de soi, il atteindra un jour le sommet. Et une fois qu'il est arrivé au sommet, la matière de son être est tellement épurée qu'elle s'imprègne de la quintessence même de l'Ame universelle. Cette quintessence sur laquelle tout s'enregistre lui donne la possibilité de voir et de sentir ce qu'il désire connaître. C'est ainsi que, par son travail, il a obtenu la puissance mais aussi la clairvoyance.

D'ailleurs, on le voit bien, la clairvoyance des médiums se limite toujours plus ou moins au plan astral, elle est incapable de percer les mystères de l'univers. Quand on demande à un médium d'attein-

dre des régions très éloignées pour répondre à des
questions d'ordre spirituel, cosmique, la plupart du
temps il n'en est pas capable. Eh bien, une clairvoyance qui ne peut pas servir à l'élévation de l'être
humain n'a aucun intérêt pour un véritable spiritualiste. C'est pourquoi il ne s'y arrête pas, et c'est
même en fermant les yeux qu'il traverse ces régions
du plan astral.

Donc, comprenez-moi bien, car tout cela est très
sérieux : avant de vous lancer dans toutes sortes
d'expériences psychiques qui peuvent être très dangereuses pour vous, exercez-vous d'abord à devenir maître de vous-même, à surveiller vos désirs, vos
aspirations. A ce moment-là, vous êtes sûr que,
même exposé à des dangers, vous saurez vous défendre. Mais si vous ne vous êtes pas exercé, vous serez
vulnérable, et il ne vous restera qu'à pousser des
cris, à aller partout vous lamenter de ce qui vous
arrive. Combien de lettres je reçois de gens qui me
racontent qu'ils sont poursuivis par des monstres,
qu'ils vivent dans l'Enfer et, évidemment, ils se
demandent comment cela leur est arrivé. C'est pourtant simple : en cherchant à pénétrer dans le monde
astral pour des raisons « pas très catholiques », la
curiosité, les convoitises, ils ont attiré des entités qui
les font réellement vivre dans l'Enfer. Car c'est cela
l'Enfer : le monde astral inférieur.

Dans l'Ecole divine, on enseigne au disciple qu'il doit se préoccuper d'abord d'avoir des racines solides, sans lesquelles il sera exposé aux tremblements de terre, aux tornades, aux cyclones. Or, les véritables racines de l'homme sont dans le Ciel, c'est pourquoi le disciple doit tout d'abord se lier au Créateur, à la pure lumière céleste, afin d'enfoncer profondément ses racines dans le monde divin. Ainsi, lorsqu'il descendra pour explorer les autres régions, il aura un point de suspension tellement solide, il sera tellement bien accroché au Ciel qu'aucune force hostile ne sera capable de l'ébranler. Oui, l'essentiel, c'est d'enfoncer profondément ses racines dans le Ciel.

Commencez donc par vous développer dans le monde de l'esprit et de l'âme, et après seulement, vous descendrez dans le plan astral pour voir les esprits de la nature et toutes les entités qui y travaillent. Il n'y a plus alors de danger, tous ceux qui n'aiment pas être vus, qui n'aiment pas être observés, ne peuvent rien faire contre vous : ils voient que vous êtes une puissance, quelque chose de formidable et alors, non seulement ils n'osent pas se mesurer avec vous, mais ils commencent au contraire à vous obéir et, grâce à leur aide, vous pouvez entreprendre de grands travaux spirituels.

Je vous l'ai déjà dit, c'est vous qui, par votre vie spirituelle, devez projeter la lumière qui vous permettra de voir des objets et des créatures du monde invisible. Si cette lumière est obscurcie par vos pensées et vos sentiments inférieurs, vous ne verrez jamais que ce qui correspond à ces pensées et ces sentiments. La clairvoyance est donnée à chacun en fonction de son degré d'évolution, et si vous pataugez encore dans les régions inférieures du plan astral, vous ne rencontrerez que les entités qui peuplent ces régions, comme des tas de bêtes qui grouillent, des monstres qui se dévorent, des fauves qui se déchirent, et vous souffrirez.

Il ne faut pas croire que, parce qu'un homme ou une femme possède des qualités médiumniques, il peut avoir accès à toutes les régions du monde invisible. Non, dans la clairvoyance, il y a des degrés qui correspondent au degré de pureté que le clairvoyant a réussi à atteindre : plus il se purifie, plus il voit les régions célestes. Voilà pourquoi il n'est pas souhaitable de devenir clairvoyant si l'on n'est pas pur et capable de se maîtriser.

Si vous voulez entrer en communication avec les entités célestes, voir la splendeur divine, vous devez vous purifier, élargir votre conscience et travailler pour le plus haut idéal : la fraternité entre les hommes, le Royaume de Dieu. A ce moment-là, vos émanations deviendront plus pures, vos vibrations plus subtiles, et non seulement les esprits lumineux vous laisseront accéder jusqu'à eux, mais ils viendront vous visiter, car ils trouveront en vous leur nourriture.

Vous ne développerez la vraie clairvoyance qu'en vous élevant jusqu'au sommet de votre être : votre Moi supérieur. Chaque jour, pensez que vous parvenez à vous élever jusqu'à lui, que vous vous identifiez à lui : vous vous tenez là au sommet, et de là-haut, vous plongez votre regard dans l'univers... Comme votre Moi supérieur a la possibilité de tout pénétrer, de tout connaître, peu à peu beaucoup de choses que vous avez saisies sans vous en rendre compte arriveront à descendre jusque dans votre conscience, et vous serez ébloui de tout ce que vous vous sentirez soudain capable de découvrir et de comprendre.

La meilleure vision est celle que vous donneront les yeux de l'esprit. Bien sûr, au début, en apparence vous ne verrez rien, vous ne saisirez rien, mais vous préparerez le terrain de la vraie clairvoyance.

# X

## L'ŒIL SPIRITUEL

Beaucoup de malheurs qui arrivent aux humains viennent de ce que leur œil intérieur ne les a pas prévenus des dangers qu'ils couraient en prenant telle décision, en se lançant dans telle entreprise. Ils sont partis tranquillement sans rien voir et se sont jetés droit dans les difficultés. S'ils avaient su développer leur œil intérieur, il les aurait avertis, car cet œil que l'on appelle quelquefois le troisième œil est comme un radar : il envoie des ondes qui, en revenant, nous préviennent des obstacles qui se présentent sur notre route. Mais souvent ce radar est en panne parce que la vie désordonnée qu'on a menée s'oppose à son bon fonctionnement.

Il est vrai qu'il y a des cas où cet œil spirituel, même développé, ne nous prévient pas : c'est lorsque certains événements sont déterminés d'avance par le karma, par les Vingt-quatre Vieillards, et qu'ils doivent obligatoirement se réaliser. Alors, même si nous les voyons ou les sentons venir, nous ne pouvons pas les éviter. Mais sinon, en général,

si nous avons su lui préparer les conditions cet œil
spirituel est là pour nous aider, nous avertir et surtout nous guider. Oui, mais à condition qu'il soit
libéré de toutes ces couches opaques, de tous ces
matériaux fluidiques qui se sont déposés sur lui. Il
ne s'agit pas d'éléments physiques, mais d'émanations fluidiques formées par la personne elle-même,
par sa façon de vivre, qui se sont accumulées autour
d'elle et l'empêchent d'y voir clair, comme un
brouillard ou un nuage de poussière.

Seule la pureté permet de développer l'intuition.
C'est pourquoi, dans notre Enseignement, nous
donnons une si grande importance à la pureté : vivre
une vie pure, se nourrir d'aliments purs, respirer l'air
pur, avoir des pensées pures, des sentiments purs.
Et si nous allons toujours vers le soleil, c'est parce
qu'il est l'image de la pureté. Sur la terre vous ne
trouverez pas la vraie pureté, même dans l'eau des
sources ou le cristal de roche. Seule la lumière du
soleil s'approche de la pureté absolue, bien que,
lorsqu'elle nous arrive après avoir traversé l'atmosphère terrestre, elle soit elle aussi chargée de nombreuses influences qui ont altéré son éclat.

La lumière divine est comparable à un fleuve qui
naît dans les montagnes : à sa source il est pur, mais
au fur et à mesure qu'il descend dans les vallées,
dans les plaines, il reçoit toutes sortes de déchets,
d'épluchures que jettent les habitants de ces régions,
et lorsqu'il arrive au niveau de la mer, quelle diffé-

rence avec la pureté qui était la sienne à l'origine ! Il en est à peu près de même avec les rayons du soleil : le soleil est une source, il fait jaillir sa lumière, mais en circulant à travers l'espace pour parvenir jusqu'à nous, ses rayons sont obligés de traverser des régions polluées ; c'est pourquoi, lorsqu'ils arrivent sur la terre, ils ne sont plus aussi purs que lorsqu'ils ont jailli du soleil. La véritable pureté, ce n'est qu'en haut, à la source, que vous la trouverez. Vous pouvez, bien sûr, commencer par la chercher dans l'eau d'un lac, le ciel bleu, les cristaux de neige qui sont un reflet lointain, très lointain, de la pureté céleste ; mais la véritable pureté, vous ne la trouverez qu'en vous élevant chaque jour par la pensée vers les régions de la lumière divine.

Toute la destinée de l'homme dépend de la pureté de son œil intérieur. Dès que vous commettez une faute, que vous transgressez les lois divines, votre vision spirituelle s'obscurcit, vous n'êtes plus averti ni guidé, vous vous enfoncez dans des complications inextricables. Tâchez de prendre enfin conscience de cette relation qui existe entre votre conduite quotidienne et la clarté de votre vision. Celui qui se décide à vivre une vie droite, honnête, noble, se purifie ; ses organes subtils commencent à fonctionner et c'est ainsi que, bien guidé, bien dirigé, il retrouve les sources, les prairies, les lacs, les pâturages et les montagnes de sa vraie Patrie.

De grands secrets sont cachés dans cette phrase de Jésus : « Si ton œil est pur, tout ton corps sera pur. » Beaucoup ont cru qu'il s'agissait des yeux du corps physique, mais du point de vue physiologique, c'est une absurdité : l'état du corps ne dépend pas de celui des yeux, les yeux physiques ne peuvent ni purifier ni salir le corps, cela n'a pas de sens ; ce sont les yeux, au contraire, qui dépendent de l'état du corps et, plus exactement, de la pureté du sang. De plus, Jésus n'a pas parlé des yeux, mais d'un œil : « Si ton œil est pur... » C'est donc bien qu'il ne parlait pas des yeux physiques, mais de cet œil spirituel qui conseille l'homme, qui lui indique par où passer, avec qui se lier, comment agir, comment se nourrir dans le plan physique et surtout dans le plan psychique, afin d'éviter de mêler à son sang, à ses pensées, à son âme des éléments impurs et nocifs. Cet œil le garde donc en état de pureté, et c'est dans ce sens que l'on peut dire que l'œil agit sur le corps.

Celui dont l'œil est pur commence véritablement à voir, à sentir, à comprendre, et il permet aux courants venus du monde divin d'entrer dans son corps et de le purifier. Lorsque se sont dispersées toutes les couches opaques qui peuvent l'obscurcir, c'est cet œil qui établit un véritable contact avec le Ciel pour laisser passer la lumière divine. Et comme la lumière a toujours un pouvoir purificateur, si on sait vraiment comment s'exposer à ses rayons, ils sont capables de chasser toutes les impuretés en nous. « Si ton œil est pur, tout ton corps sera pur », c'est-à-dire si ton œil est pur, tout ton corps sera dans la lumière.

Voilà donc l'œil spirituel dont parlait Jésus, c'est cet organe ou, si vous voulez, cette faculté grâce à laquelle nous pouvons avoir la vision du Ciel et des créatures qui l'habitent. Ces créatures sont comme pétries de lumière, il émane d'elles des parfums délicieux, tout leur être chante et propage une symphonie indescriptible... Le secret pour obtenir cette vision sublime, c'est de travailler sans arrêt sur nous-même, de nous dégager de tout ce qui peut nous obscurcir, nous avilir, d'entretenir des pensées pures, des sentiments purs, des activités pures, et un jour nous aurons la vision claire de ce qu'est la vie dans le Ciel et de ce qu'elle doit être sur la terre. C'est à travers cet œil spirituel, qui est l'intermédiaire entre le Ciel et nous, que toute cette vie du Ciel vient se refléter sur la terre. Car ce n'est pas l'intellect qui peut donner les solutions à tous les problèmes qui se posent aux humains, mais la contemplation de la vie divine. C'est donc grâce à la pureté que nous pourrons réaliser la prière de Jésus : « qu'il soit sur la terre comme au Ciel ».

Alors, si vous êtes sage, raisonnable, attentif, vous commencerez ce travail en vous-même et de plus en plus la clarté viendra, votre œil intérieur se purifiera, tous ces bandeaux et ces écailles qui l'enveloppent tomberont et vous pourrez voir, sentir, comprendre et contempler ce monde divin où nous avons vécu, d'où nous venons et qui est notre vraie patrie, cette patrie dont nous avons presque perdu le souvenir... Dès maintenant, nous devons commencer à tourner nos yeux vers ce monde de splendeur et de perfection absolue, à le contempler inlassablement pour qu'il s'enregistre peu à peu jusque dans les profondeurs de notre être et même sur notre corps physique afin que lui aussi puisse vibrer à l'unisson avec le monde divin.

Souvent, on entend dire que c'est l'Eglise qui a inventé la morale pour dominer et exploiter le peuple crédule et ignorant. Il est certain que dans de nombreux cas, le clergé a mis la religion au service d'intérêts et de passions tout à fait condamnables. Mais la vraie religion, la vraie morale ne sont pas basées sur le profit : elles sont fondées sur une science profonde des causes et des conséquences de chaque pensée, de chaque sentiment, de chaque acte. Le tort du clergé a été de ne pas chercher à expliquer les règles qu'il imposait. On disait aux gens : faites ceci, faites cela, comme à des enfants à qui l'on demande d'obéir sans jamais leur donner d'explications. C'est pourquoi, comme les enfants, dès qu'ils ont pu, ils ont désobéi. Alors que, pour leur bonne évolution, ils auraient dû savoir que la vraie religion, comme la vraie morale repose sur une connaissance précise des grandes lois cosmiques.

Il faut donc comprendre désormais l'importance de ce rapport entre la vie pure et la clarté de la vision spirituelle. Quand votre œil intérieur vous donne une vision correcte des choses, vous êtes averti, protégé : dès qu'il sent que vous risquez de vous égarer dans des régions obscures et dangereuses, il vous prévient qu'il faut changer de direction : vous sentez une hésitation, une inquiétude... C'est la preuve que cet œil vous dit : « Attention ; tu vas t'enfoncer là dans des marécages, ne va pas plus loin, retourne sur tes pas. » Et ensuite, quand vous avez réussi à retrouver la bonne voie, il vous dit : « Maintenant, ça va, tu es sur le bon chemin, suis-le, il t'emmènera très haut vers le Temple qui brille au sommet, le Temple du Saint-Graal, la Patrie céleste. »

# XI

# LA VISION DE DIEU

« Bienheureux les cœurs purs, disait Jésus, car ils verront Dieu. » Pourquoi la vision claire est-elle ainsi liée à la pureté ? C'est très simple, regardez : à l'époque où on s'éclairait encore avec des lampes à pétrole, il fallait très souvent nettoyer le verre pour ôter la couche de fumée qui s'y était déposée, sinon, même si la lampe était allumée, elle n'éclairait pas. Il en est de même pour l'homme : s'il laisse se déposer des couches d'impuretés en lui, ces impuretés sont comme un écran entre la lumière du monde divin et lui-même, et il ne voit plus rien. La pureté apporte donc la vision claire et c'est pourquoi Jésus disait : « Bienheureux les cœurs purs, car ils verront Dieu. »

En réalité, pour voir véritablement Dieu par les yeux intérieurs, la pureté du cœur ne suffit pas, il faut encore celle de l'intellect, de l'âme et de l'esprit. Mais dans notre vie psychique, le travail de purification doit commencer par le cœur, car c'est dans le cœur, qui correspond au plan astral, que les impu-

retés commencent par s'insinuer : les convoitises,
la jalousie, la haine, le désir de vengeance, etc.

Maintenant, bien sûr, « voir » Dieu ne signifie
pas qu'Il va apparaître devant nos yeux. Et d'ailleurs, dans ce sens, personne n'a jamais vu Dieu,
aucun saint, aucun prophète, aucun apôtre, aucun
martyr, aucune vierge, aucun patriarche, aucun Initié n'a jamais vu Dieu. Même Moïse n'a pas vu Dieu
et pourtant combien de fois il est écrit dans le Pen-
tateuque que Dieu lui a parlé ! Mais là aussi, bien
sûr, il faut comprendre. Ce n'est pas Dieu Lui-même
qui a parlé à Moïse, ni à Bouddha, ni à Zoroastre,
ni à Orphée. Il leur a parlé par l'intermédiaire des
grands Archanges, ses messagers, car ils n'auraient
pas pu supporter sa voix ou sa présence, ils auraient
été pulvérisés. Vous direz : « Mais Jésus, lui, est-
ce qu'il n'a pas vu Dieu ? » En qualité de Christ,
oui, on peut dire que Jésus a vu Dieu, parce que
le Christ, le Fils, est fondu dans le Père. Le Christ
est le seul qui contemple son Père, parce qu'il est
un avec Lui, fondu en Lui. Mais le Christ est un
esprit cosmique et si l'on peut dire que Jésus, ou
un autre grand Initié, a vu Dieu, c'est par l'intermédiaire de l'esprit de Christ auquel il s'est identifié, mais il ne L'a jamais vu de ses yeux.

Personne n'a jamais vu Dieu, parce que Dieu,
c'est l'infini, l'illimité. On peut sentir sa présence,
oui, on peut même voir ses manifestations : des
éclairs, des projections de lumière, mais on ne peut

pas voir l'Auteur de ces manifestations. Parce qu'il est impossible aux yeux physiques de voir Dieu, tout simplement. Pour voir un objet ou un être, il faut qu'il ait une forme, des dimensions, des limites, qu'il soit situé quelque part dans l'espace et dans le temps. Or, Dieu échappe au temps et à l'espace et vous ne pouvez voir de Lui que des reflets, des manifestations éparses partout, dans les pierres, les plantes, les animaux et aussi les humains, dans leurs pensées élevées, leurs sentiments généreux, leurs gestes de bonté ou de courage, leurs œuvres d'art. Et plus vous êtes pur, plus vous distinguez des traces de Dieu, la vie, le parfum, la musique de Dieu. Quand vous voyez le soleil, vous pouvez dire : « J'ai vu Dieu dans sa lumière, j'ai senti Dieu dans sa chaleur et maintenant je suis plus vivant. » Mais raconter qu'on a vu Dieu et qu'on a parlé avec Lui, non, il n'y a que certains hurluberlus qui peuvent prétendre avoir vu Dieu face à face et parlé avec Lui. Ce qui est limité ne peut pas comprendre l'illimité. Ce qui est petit ne peut pas comprendre l'immensité. Et quand la comprendra-t-il ? Quand il entrera dans l'immensité, quand il se fusionnera avec elle, quand il en fera partie. A ce moment-là, oui, il peut avoir enfin une idée de l'immensité, de l'infini.

Aussi longtemps que, dans sa conscience, l'homme reste séparé de Dieu, il ne peut pas comprendre l'immensité et l'infini de Dieu. Il faut qu'il se fonde, qu'il se perde en Lui ; à ce moment-là, il Le connaît parce qu'il est Lui, il devient Lui. Tant qu'il est en dehors de Lui, il ne peut Le connaître. Mais voilà, cette fusion ne peut pas se faire tant qu'il ne se débarrasse pas de ses impuretés... Prenons une image : vous avez du mercure que vous éparpillez en petites gouttes. Puis vous rapprochez ces gouttes : elles n'en forment à nouveau qu'une seule. Vous avez certainement tous fait cette expérience. Maintenant, si vous laissez tomber quelques grains de poussière sur certaines de ces gouttes, quoi que vous fassiez ensuite, elles restent séparées. Eh bien, c'est ce qui se passe aussi avec nous. Le Seigneur est la splendeur, la lumière, l'immensité, et nous serons séparés de Lui tant que nous resterons vicieux, sombres, méchants. Ce n'est qu'en enlevant toutes les couches d'impuretés que nous avons accumulées en nous, que nous parviendrons à nous fusionner avec Lui, c'est-à-dire à « Le voir ».

# XII

# LE VÉRITABLE MIROIR MAGIQUE :
## L'ÂME UNIVERSELLE

Depuis la plus haute antiquité, les voyants, les devins, les magiciens utilisent pour connaître le passé, prédire l'avenir ou se renseigner sur un événement éloigné qui est en train de se produire, ce qu'ils appellent des miroirs magiques. Malgré leur nom, les miroirs magiques ne sont pas nécessairement de vrais miroirs : cela peut être une boule de cristal, une coupe d'eau, une perle, etc. Un des miroirs magiques les plus célèbres de la littérature occulte est un cristal de charbon qui était en possession de John Dee, occultiste anglais, qui vivait au seizième siècle et dont l'écrivain Gustav Meyrink raconte l'histoire dans « L'ange à la fenêtre d'Occident ». Toutes sortes d'aventures dramatiques sont liées à ce miroir, mais ce serait trop long à vous raconter.

Plusieurs objets peuvent donc servir de miroirs magiques, même un ongle. Oui, vous pouvez enduire votre ongle d'encre ou de vernis et si vous

savez comment vous concentrer dessus, il peut devenir un miroir magique. Vous direz : « Mais comment se fait-il que n'importe quel objet ou presque
puisse être utilisé comme miroir magique ? » C'est
très simple, c'est parce que n'importe quel objet peut
servir de support à la vision. Dans la mesure où tout
ce qui existe est traversé par la vie cosmique, tout
être, tout objet garde des traces de cette vie et ces
traces peuvent être retrouvées. Les pensées, les sentiments, les actes des humains, leurs aspirations,
leurs élans, leurs projets, leurs prières s'échappent
d'eux pour aller dans toutes les directions. Rien ne
disparaît et rien ne reste caché. Non seulement tout
se propage, mais tout s'enregistre et, à un moment
ou à un autre, peut être retrouvé. La vie qui se propage à travers l'espace peut être captée dans
n'importe quel endroit de l'univers, il suffit pour
cela d'avoir les appareils appropriés.

Le chant du Maître Peter Deunov « Krassiv é jivota » exprime très bien cette idée. Oui, ce chant dit :
« Krassiv é jivota na nachata doucha, chto izpălnya
célata zémia », ce qui signifie : « Belle est la vie de
notre âme, qui remplit la terre entière. » Donc, la vie
de notre âme, c'est-à-dire notre âme remplit la terre
entière, elle la pénètre, l'imprègne, car l'âme n'est
pas limitée par les frontières du corps physique, elle
le traverse, le déborde et peut parvenir aux dimensions de la terre ou même de l'univers. Si chaque
objet peut devenir un miroir magique, c'est parce

que l'Ame universelle est elle-même le véritable miroir magique où la vie cosmique tout entière vient se refléter. Et puisque toutes les âmes humaines ne sont que des parcelles de l'Ame universelle, chacune d'elles est elle-même un miroir magique. C'est pourquoi on peut diviser les clairvoyants en deux catégories : ceux qui trouvent le miroir magique en eux-mêmes (c'est leur âme où viennent se refléter tous les événements de l'univers), et ceux qui ont besoin d'un miroir magique matériel, donc extérieur à eux.

L'objet que le clairvoyant veut utiliser comme miroir magique doit être préalablement débarrassé des couches d'impuretés qui peuvent l'entourer, puis consacré aux forces lumineuses et tenu à l'abri des influences négatives. Grâce à l'intensité de ses vibrations, le miroir magique peut capter et révéler les événements qui se déroulent à des milliers de kilomètres. En ce qui me concerne, je ne me sers pas de miroir magique, je sais comment les préparer, mais je ne le fais pas, et je vous conseille, à vous aussi, de ne pas vous en servir. D'ailleurs, sachez que seul celui qui a trouvé le miroir magique intérieur est capable de se servir avec succès des miroirs magiques extérieurs.

Alors, laissez les miroirs magiques et apprenez à interpréter le langage de la nature. Considérez que la vie est un miroir magique et que c'est là, dans tous les événements qui se produisent dans les différents règnes de la nature, que vous trouverez la réponse à toutes les questions qui se posent à vous. Pour les interpréter, il est nécessaire d'acquérir un véritable savoir et ce savoir ne s'acquiert que dans une Ecole initiatique.

# XIII

# RÊVE ET RÉALITÉ

Dans le passé, quand les gens dans les campagnes ne savaient pas ce qu'était le théâtre, et à plus forte raison le cinéma ou la télévision, il arrivait que certaines personnes très simples, très naïves, qui assistaient pour la première fois à une représentation, prennent au sérieux tout ce qui se passait sur la scène. Et alors, au moment où un crime allait être commis, par exemple, elles se levaient, injuriaient l'assassin, avertissaient la victime du danger qui le menaçait et prenaient à témoin les autres spectateurs de la méchanceté du criminel en criant qu'il fallait l'attraper avant qu'il ne mette ses mauvais desseins à exécution. Evidemment, tout le monde riait... Eh bien, sachez que vous aussi, dans beaucoup de circonstances de la vie, vous vous conduisez comme ces personnes qui confondent le théâtre ou le cinéma avec la réalité : vous prenez au sérieux ce qui n'est qu'un spectacle.

Dans la vie tout n'est qu'apparence, illusion, et devant les difficultés et les épreuves que vous rencontrez, au lieu de vous dire : « Mais c'est une comédie, ce n'est pas sérieux », vous criez, vous gesticulez, vous pleurez... Eh non, au lieu de pleurer, il faut réfléchir. Regardez. Que se passe-t-il avec un acteur de théâtre ? Chaque soir il joue une pièce où par exemple, son ennemi mortel verse du poison dans son verre, et il meurt. Mais s'il vous arrive de le rencontrer après la représentation, vous le verrez trinquer sans rancune avec son assassin, il n'a même pas peur qu'il lui ait à nouveau versé du poison dans le verre. Toute proportion gardée, ce sont les mêmes histoires qui se passent dans la vie courante. Alors, au lieu de prendre certaines situations au tragique, pourquoi ne pas se dire : « Bah ! c'est du théâtre. Quand la pièce sera finie, je verrai les choses différemment. » En vous habituant à raisonner ainsi, les difficultés, les échecs, les déceptions ne vous affecteront plus autant.

Prenons un autre exemple. Vous faites un cauchemar : vous rêvez que vous êtes poursuivi, vous courez, vous courez et puis voilà un gouffre vertigineux qui s'ouvre devant vous et vous tombez... Quelle angoisse ! Lorsque vous vous réveillez, vous continuez à vivre encore quelques instants ces impressions dramatiques comme si c'était la réalité. Et pourtant, ce n'est pas la réalité : vous êtes là, vivant, dans votre lit. Il en est de même pour les rêves heureux et agréables : on s'en réjouit encore, une fois réveillé, comme d'aventures réellement vécues. Alors maintenant, regardez : si l'on peut considérer le rêve comme une réalité, pourquoi ne pourrait-on pas considérer la réalité comme un rêve ?... C'est ce que font les sages : quoi qu'il leur arrive, ils disent : « Je rêve, mais un jour je m'éveillerai. Je souffre, je suis malade, on me persécute, mais je rêve. Quand je me réveillerai, il ne restera plus une trace de tout ça. » Vous direz que tous ces raisonnements ne vous empêcheront pas de souffrir et d'être dans la misère. Bien sûr, bien sûr, mais ceux qui ont des cauchemars sont, eux aussi, effrayés, ils souffrent, ils transpirent, ils s'agitent, ils poussent des cris, et pourtant, ce qui les fait réagir ainsi n'est pas la réalité. C'est d'ailleurs eux-mêmes qui se le disent une fois réveillés.

Combien de philosophes, de poètes ont dit que la vie est un songe ! Mais ce n'est pas parce que la vie est un songe qu'on doit justement se laisser aller à rêvasser comme le font beaucoup de gens qui désirent ceci, souhaitent cela... Car ces rêveries ne sont pas toujours bien « catholiques ». On peut rêver, bien sûr, et même on doit rêver, mais à condition que ce soient des rêves divins : le Royaume de Dieu sur la terre, tous les êtres enfin libres, dans la lumière et dans la paix. Si beaucoup plus d'hommes et de femmes faisaient souvent ces rêves-là, ils contribueraient plus rapidement à leur réalisation.

Je vous conseille, à vous aussi, de vivre dans les rêves, mais pas ces rêves décousus, sans tête ni queue, inspirés uniquement par la sensualité, les caprices ou la paresse, mais des rêves conscients, orientés toujours dans le sens du bien et de la lumière. Bien sûr, il ne faut jamais négliger totalement cette réalité illusoire qu'est la vie terrestre. Si nous sommes sur la terre, c'est que nous avons quelque chose à y faire, à y apprendre, mais même en vivant le plus correctement possible cette existence terrestre, il ne faut jamais oublier qu'on rêve.

Les Initiés savent l'importance cosmique de créer des images sublimes qui contribueront à la transformation du genre humain. Les gens ordinaires qui ne les comprennent pas, les traitent d'illuminés qui se bercent de rêves chimériques, tandis qu'eux-mêmes, les pieds sur terre, évidemment ils se trouvent parfaitement éveillés, car passer sa vie à brasser la matière, c'est ça, pour eux, être éveillé. Eh bien, non, aux yeux d'un Initié, ils somnolent, ils ronflent ! Leur vie n'est qu'un long sommeil agité de temps en temps de quelques soubresauts.

Oui, la vie sur la terre est un sommeil. C'est pourquoi on peut dire que la mort est un réveil dans l'autre monde. Mais là encore, l'homme dort, il dort d'un sommeil plus léger, bien sûr, mais c'est toujours le sommeil, et ce sera toujours le sommeil jusqu'à ce qu'il arrive au plan causal où se produit le véritable réveil. Et quand il devra de nouveau retourner sur la terre, au fur et à mesure qu'il descendra, il plongera dans un sommeil de plus en plus profond et lourd... jusqu'à ce qu'il arrive dans le plan physique où là, il dort d'un sommeil d'où il ne peut plus se réveiller pendant des années et des années. Bien sûr, on peut le voir courir, parler, gesticuler, mais c'est toujours dans le sommeil.

Alors, vous aussi, ne croyez pas que vous êtes éveillé. Vous dormez et, de même qu'en rêve il vous arrive de faire toutes sortes de choses : vous promener, rencontrer des gens, leur parler, etc., eh bien, il en est de même dans la vie quotidienne. D'ailleurs, quelquefois aussi, c'est pendant le sommeil, quand vous rêvez, que vous êtes le plus éveillé, car certains rêves mettent les humains plus facilement en relation avec la véritable réalité des choses. Mais quand vous vous réveillez, un voile tombe de nouveau sur cette réalité.

Celui qui s'arrête sur l'apparence des choses s'enfonce dans les illusions. Les apparences ne sont utiles que dans la mesure où on peut les dépasser pour découvrir la véritable réalité. Mais s'enfoncer dans les apparences conduit fatalement à la mort spirituelle. Bien sûr, cette question du rêve et de la réalité, ou de la réalité et des apparences, est abstraite et difficile. Mais l'essentiel n'est pas que vous parveniez à la saisir intellectuellement. L'essentiel, c'est que vous compreniez comment ces quelques notions que je viens de vous donner peuvent vous aider dans la vie quotidienne. Quand il vous arrive des désagréments, pensez à vous dire : « Bien sûr, je ne peux pas nier qu'il y ait ça et ça, mais est-ce vraiment à moi que cela arrive ? Moi, je suis un esprit éternel, immortel, et ce que je vis là, c'est une autre personne que moi qui est en train de le vivre, c'est une illusion dont je suis le spectateur. »

Cette façon de penser peut vous donner beaucoup de courage, beaucoup de résistance et de force. Tandis que si vous vous identifiez avec ce qui vous arrive, vous vous effondrez. Tous ceux qui prennent trop au sérieux leurs difficultés ou leurs malheurs se mettent dans des situations inextricables, parce que justement ces difficultés et ces malheurs ne peuvent être surmontés que si on commence par ne pas les prendre au sérieux. Réellement, croyez-moi, ce n'est pas à votre vrai Moi que vos malheurs arrivent, votre vrai Moi est au-dessus de toutes les vicissitudes de la vie. Ce qui souffre en vous, c'est ce moi irréel qui joue un rôle et qui traverse toutes sortes de péripéties comme au théâtre. Il n'y a que ce que je vous dis que vous devez prendre au sérieux, pas ce qui vous arrive.

Alors, quels que soient les événements que vous ayez à traverser, même les plus pénibles, pensez que votre vie sur la terre n'est qu'un rêve. Un jour, quand vous vous réveillerez, vous direz : « Quelle bêtise, j'ai cru que c'était vrai ! »

L'homme descend sur la terre où il se livre à toutes sortes d'activités afin de connaître la matière, et ensuite, quand il retourne dans l'autre monde, même s'il a appris beaucoup de choses, il doit reconnaître que la réalité n'était pas là... Oui, nous ne sommes qu'un rêve de l'être divin qui est en nous ; nous dormons et nous devons nous réveiller. Mais comment nous réveiller ? En pensant à notre Moi supérieur, en nous concentrant sur lui, en nous identifiant à lui. Peu à peu, notre conscience ordinaire commencera à s'unir à la conscience de notre Moi supérieur, la superconscience. Cette union, c'est cela le véritable réveil.

# XIV

# LE SOMMEIL, IMAGE DE LA MORT

La journée que vous venez de vivre détermine la nuit que vous allez passer, mais la façon dont vous vous préparez au sommeil va également déterminer le jour suivant. Chaque soir, avant de vous coucher, recueillez-vous un moment en laissant de côté tout ce qui vous a préoccupé ou troublé au cours de la journée. Pensez ensuite aux erreurs que vous avez pu commettre, afin que les esprits lumineux vous inspirent durant votre sommeil la meilleure manière de les réparer. Enfin, au moment de vous endormir, abandonnez-vous sans crainte à l'Ange de la mort. L'Ange de la mort, c'est le nom que la Kabbale donne à l'Ange du sommeil, car chaque soir nous mourons et chaque matin nous ressuscitons. S'endormir, quitter le corps physique est un exercice que nous pratiquons chaque nuit, afin d'être prêt pour le jour où nous devrons véritablement partir dans l'autre monde. Celui qui ne sait pas comment s'endormir ne saura pas mieux mourir. Il n'existe aucune différence entre le sommeil et la mort, sauf que, lorsqu'on meurt, on quitte définitivement la maison que l'on habitait. Pendant le sommeil, on la quitte également, mais un lien subsiste : la corde d'argent qui nous retient à elle.

Il faut comprendre la nécessité de se préparer chaque soir au sommeil comme pour un voyage sacré, afin d'être prêt un jour pour cet autre voyage tellement plus décisif : la mort. Car combien de gens n'arrivent pas à se détacher de leur corps physique ! Les liens sont là, puissants, qui les retiennent. Vivants, ils n'ont pas eu dans leur cœur, dans leur âme, le désir de découvrir d'autres espaces et d'aller vers Dieu, ils ne pensaient qu'aux affaires matérielles, à l'argent, aux plaisirs, comme si toute la vie était là, comme si rien d'autre n'existait. Alors, comment peuvent-ils accepter d'abandonner tout cela ? Ils rôdent longtemps autour de leur corps, autour des lieux où ils ont vécu, des êtres qu'ils ont connus et ils souffrent terriblement, bien que des esprits lumineux, serviteurs de Dieu, viennent les aider à se libérer. D'autres, au contraire, quittent instantanément leur corps physique comme un vieux vêtement usé qu'ils laisseraient tomber pour entrer dans un vêtement de lumière.

D'ailleurs, en attachant tellement d'importance au fait de réconcilier un mourant avec le Ciel par le sacrement de l'Extrême-Onction, l'Eglise chrétienne se conforme à cette tradition très ancienne d'après laquelle ceux qui quittent le corps physique sans la lumière de l'existence de Dieu et de l'autre monde, errent dans les régions obscures de l'au-delà en proie à de grandes souffrances. C'est pourquoi aussi ceux qui restent sur la terre, les parents, les amis, au lieu de s'abandonner à des regrets et des chagrins qui retiennent le mort dans les couches inférieures du plan astral et l'empêchent de se libérer, doivent prier pour faciliter son départ.

Et de même que le moment où vous vous endormez est important pour la journée du lendemain, le moment de la mort est aussi essentiel pour l'incarnation suivante : l'attitude du mourant agit dans l'autre monde jusqu'à son incarnation prochaine, car rien, aucun phénomène, aucune pensée, aucun sentiment, aucun acte, ne peut exister isolément : chacun a une cause et produit des conséquences plus ou moins lointaines. C'est ce que vous pouvez observer chaque jour dans votre existence. Supposez que vous ayez passé une bonne journée, mais voilà qu'au moment où vous allez vous coucher, il se produit un incident qui vous inspire tristesse et découragement. Le lendemain, au réveil, vous pourrez certainement constater que ce que vous aviez vécu de bon la veille a disparu, remplacé par une impression désagréable. Le dernier moment a donc été plus important, plus significatif que toute la journée. Supposez, au contraire, que vous ayez toute la journée assez mal vécu, mais qu'avant de vous aban-

donner au sommeil, vous parveniez, par des prières et un effort de la pensée, à vous endormir paisiblement : ces derniers moments nettoient tout en
vous, ils vous purifient si bien que le lendemain vous
vous éveillez dans les meilleures dispositions.

L'homme est habité par des « ouvriers » qui utilisent tout ce qui se passe en lui à la frontière entre
la veille et le sommeil comme des forces de construction ou de destruction. C'est pourquoi, méfiez-
vous, ne vous couchez pas avec des préoccupations
négatives, car elles détruiront tout ce que vous avez
acquis de bon pendant la journée. Avant de vous
endormir, mettez au moins une pensée, une inspiration, une image lumineuse dans votre tête et dans
votre cœur : vous vous réveillerez le lendemain
matin purifié, régénéré.

Evidemment, je ne dis pas cela pour que vous
pensiez qu'on peut vivre n'importe comment pendant la journée à condition de faire une prière avant
de s'endormir, ou que c'est au moment de mourir
qu'on effacera toutes les mauvaises actions de sa
vie. Non, car en agissant ainsi, vous aurez toujours
tous les diables avec vous, comme le moine de cette
anecdote. Oui, dans un couvent, il y avait une fois
un brave moine qui buvait, buvait... Grâce à lui,
le niveau du vin dans les tonneaux baissait rapidement. Un peu penaud, bien sûr, il faisait chaque
soir sa prière en demandant pardon à Dieu, après
quoi, apaisé, il s'endormait tranquillement...

Jusqu'au lendemain où il recommençait. Cela continua ainsi des années... Or, un soir, il oublia sa prière, et voilà que pendant la nuit, il sent quelqu'un qui le secoue en disant : « Hé ! tu n'as pas fait ta prière ce soir. Allez, debout, dépêche-toi, tu dois prier ! » Il s'éveille, se frotte les yeux et qui voit-il ?... Le Diable ! Oui, c'était le Diable qui le réveillait, car c'était lui qui le poussait à prier tous les soirs pour éviter qu'il ne se corrige. Grâce à ses prières, le moine avait la conscience tranquille et le lendemain il recommençait ses bêtises pour la plus grande joie du Diable. L'histoire ajoute que, lorsque le moine comprit cela, il fut tellement effrayé qu'il renonça pour toujours à boire.

Quant à vous, même si vous n'avez pas mené pendant la journée une existence parfaite, il est quand même très important avant de vous endormir, d'arriver à vous apaiser et à vous lier au Ciel. Prêtez une grande attention à cela car, je ne le répéterai jamais assez, c'est la nuit, durant le sommeil, que les forces psychiques font un travail en profondeur dans le subconscient.

La veille et le sommeil, la vie et la mort, et aussi le visible et l'invisible, le jour et la nuit : voilà des questions sur lesquelles vous ne devez jamais cesser de vous pencher. Oui, étudiez le sens profond du jour et de la nuit. La nuit est le domaine du non-manifesté, de l'invisible, le jour celui de la mani-

festation, du visible, et la manifestation dépend du
non-manifesté, comme le jour dépend de la nuit.
Avant de naître, l'homme se trouve dans la nuit et
tout se prépare dans cette nuit. C'est dans l'obscu-
rité du sein maternel qu'il construit son corps : ses
poumons, son cœur, son cerveau... Si cette construction s'est mal effectuée, toute sa vie à venir est
compromise, car le jour, la vie terrestre, dépend de
cette nuit qu'est la gestation.

C'est dans la nuit que se préparent les événements qui se produiront pendant le jour, car tout
phénomène matériel n'est que la concrétisation de
phénomènes non matériels. C'est ce qui explique
qu'un clairvoyant puisse prédire les événements à
venir : parce qu'il les a déjà vus réalisés dans le
monde invisible. Il faut un certain temps pour que
ces événements atteignent le plan physique, mais ils
l'atteignent nécessairement car ils sont déjà inscrits
en haut. Regardez un serpent : sa queue passe toujours là où est passée sa tête. La tête représente
l'idée, le projet, et la queue représente sa réalisation, la concrétisation des événements qui ont déjà
eu lieu dans le monde subtil.

Vous avez peut-être fait vous-même cette expérience : en parlant avec une personne au cours de
la journée ou en faisant certains gestes, vous vous
êtes peut-être souvenu soudain d'avoir tenu en rêve,
la nuit précédente, cette même conversation ou fait
ces mêmes gestes. Oui, car ce que nous faisons pen-

dant le jour peut être la répétition de ce que nous avons fait pendant la nuit dans le plan astral.

Toute manifestation peut être comparée au dévidage d'une pelote de fils formée par des brins de couleurs différentes. La manifestation représente le déroulement des fils, mais les fils ne seront que ceux qui ont déjà été enroulés. Ainsi, si vous n'avez rien préparé dans votre tête à l'aide de la sagesse, n'espérez pas tirer la sagesse de votre cervelle. Tout ce que l'on veut manifester doit avoir été préparé longtemps à l'avance. Ne vous y trompez pas : sans avoir longuement travaillé dans la nuit, dans l'invisible, vous ne produirez rien de véritablement achevé dans le visible.

Ce que je vous dis là est d'une valeur inestimable pour votre évolution. Certains ne le sentiront peut-être pas tout de suite ; cela viendra, mais qu'ils n'attendent pas, pour sentir cela, le moment où ils quitteront la terre, ce sera un peu tard. Ce n'est pas au moment où on part pour l'autre monde qu'il faut apprendre ces vérités.

# XV

# SE PROTÉGER PENDANT LE SOMMEIL

Tout en tournant autour du soleil, la terre fait en vingt-quatre heures un tour complet sur elle-même. C'est ce qui explique qu'en vingt-quatre heures chaque région du globe passe progressivement de la nuit au jour, du jour à la nuit ; et pendant que dans certains endroits les uns se préparent à se coucher ou sont en train de dormir, les autres vont se réveiller ou sont déjà au travail. Le fait que d'un côté de la terre les uns sont plongés dans le sommeil, tandis que d'autres vaquent à leurs occupations, produit dans le monde subtil des phénomènes très intéressants.

Au moment où un homme s'endort, son âme quitte son corps physique (tout en restant rattachée à lui par ce lien subtil que l'on appelle la corde d'argent), elle ne voit tout autour que des gens plongés aussi dans le sommeil et, comme elle trouve que ce n'est pas intéressant, elle se rend de l'autre côté de la planète, là où une multitude de gens sont éveillés, et à leur insu elle se mêle à leur vie. C'est ainsi

que, vous aussi, pendant le jour, quand vous êtes
éveillé, vous recevez la visite de quantité d'hommes
et de femmes endormis qui habitent de l'autre côté
de la terre. Leurs âmes viennent vous rendre visite
et elles vous chuchotent à l'oreille leur histoire, leurs
préoccupations, leurs souffrances. Parfois les malai-
ses, les tristesses que vous ressentez vous sont com-
muniqués par ces êtres-là. Vous croyez que ce sont
vos propres inquiétudes, mais en réalité ce sont celles
de certaines âmes venues de l'autre côté de la terre
qui ont quitté leur corps physique durant le sommeil.

Si ces âmes viennent auprès de vous, c'est parce
que vos pensées, vos préoccupations quotidiennes
créent des vibrations qui les attirent. De même, si
vous lisez beaucoup de récits concernant certains
pays, vous préparez en vous les éléments fluidiques
qui vous lieront aux habitants de ces pays et, intérieurement au moins, vous participerez à leur sort.
D'après vos affinités, vos sympathies, vous déter-
minez vos rencontres, votre environnement psychique, et même si vous changez de résidence, même
si vous changez de région, vous continuerez à attirer les mêmes âmes, à être entouré par la même
atmosphère. Si vous travaillez à faire de vous un
aimant préparé pour attirer des entités lumineuses,
même si vous allez jusque dans l'Enfer, vous atti-
rerez des anges ; et là, grâce à eux, vous chasserez
les démons qui auront peur que ces anges détrui-
sent leur royaume. Inversement, même si on trans-

porte certaines gens au Paradis, ils se débrouille-
ront toujours pour y être poursuivis par des diables !

Alors, attention, soyez vigilant : aussi bien pendant la veille que pendant le sommeil, tâchez de
n'attirer autour de vous que des présences bénéfiques. Bien sûr, ce travail est plus facile à réaliser
à l'état de veille. Pendant le sommeil, quand la conscience s'affaiblit, on est plus exposé et vulnérable.
C'est pourquoi il faut être particulièrement attentif et ne pas s'endormir dans n'importe quel état
d'esprit mais, au contraire, se préparer au sommeil.
Certaines personnes sont étonnées de commettre en
rêve des actes répréhensibles qu'elles ne commet-
traient jamais à l'état de veille... C'est justement
parce qu'elles n'ont pas su se préparer au sommeil.

Il est dit dans la Kabbale que lorsque l'homme
s'endort, un esprit impur s'attache à son corps
physique pour lui suggérer certaines idées, certains
désirs. Cet esprit impur veut prendre possession du
corps parce que le corps possède une grande réserve
de forces. Oui, les mauvais esprits ont besoin de
matériaux et d'énergies pour leurs travaux, et c'est
chez les humains qu'ils les trouvent, particulièrement pendant leur sommeil. Pourquoi ? C'est très
simple. Pendant le jour, les humains qui sont sub-
mergés d'occupations courent à droite et à gauche,
et c'est donc eux-mêmes qui utilisent leurs énergies ;
tandis que pendant la nuit, quand ils dorment, leurs
énergies sont disponibles.

Vous direz : « Comment ? Pendant que nous dormons, des esprits viennent nous dépouiller à notre insu ? Mais ils n'ont pas le droit ! » Oh là là, pas le droit, qu'est-ce que vous croyez ? Ils le prennent, ce droit. Regardez ce qu'ont fait les humains avec les animaux depuis des millions d'années ! Ils les ont exploités ou massacrés impitoyablement, sous prétexte qu'ils avaient besoin d'eux pour toutes sortes d'usages : cultiver la terre, traîner des fardeaux, voyager, se nourrir, se vêtir, se distraire, etc. Est-ce qu'ils se sont quelquefois sentis coupables ? Pas du tout, au contraire, quel mal y a-t-il à exploiter les animaux ? Ils sont là pour ça !... Eh bien, dites-vous que dans le monde invisible se trouvent des entités qui tiennent exactement le même raisonnement concernant les humains. Elles n'ont aucun scrupule à les exploiter, et particulièrement pendant leur sommeil quand ils sont abandonnés, sans défense. C'est pourquoi, avant de s'endormir, il est souhaitable de se mettre à l'abri en demandant la protection des esprits lumineux.

Je sais bien que beaucoup n'accepteront jamais cette idée de l'existence d'esprits inférieurs qui peuvent venir s'emparer d'eux pendant le sommeil. Eh bien, qu'ils n'acceptent pas, c'est leur affaire. Mais tous ceux qui veulent avancer sur le chemin de l'évolution doivent admettre l'existence de ces esprits et la nécessité de se protéger de leurs agissements. Pour se défendre contre eux, ils doivent prier le Ciel

d'envoyer un ange qui les préservera et qui les con-
duira dans l'Ecole du Seigneur pour y étudier
l'amour et la sagesse. Ainsi, pendant la nuit, ils
auront toujours un gardien qui tournera autour de
leur corps pour empêcher l'esprit du mal d'en prendre possession.

Je vous ai souvent donné aussi cette image du
train de nuit qui file à toute allure à travers la cam-
pagne. Les voyageurs dorment et ils font bien, ils
peuvent dormir, ils en ont le droit. Un seul ne doit
pas dormir, c'est le conducteur du train : il n'a pas
le droit de dormir parce qu'il est responsable de la
vie de tous les autres et doit les mener à bon port.
Eh bien, nous aussi, nous sommes comme ce train
dont le conducteur ne doit pas dormir. Notre corps,
nos cellules peuvent dormir, mais notre conscience
doit rester éveillée, vigilante, pour continuer à nous
guider au milieu des embûches de la nuit.

Oui, il ne suffit pas d'être éveillé pendant le
jour ; pendant la nuit aussi il faut garder une partie de soi-même éveillée. C'est pourquoi, avant de
vous endormir, le soir, pensez à laisser quelqu'un,
une entité, une lumière, qui veillera au-dedans de
vous, tandis que vous serez plongé dans le sommeil.
Jésus a dit : « Veillez et priez ». Veiller ne signifie
pas évidemment, ne pas dormir, mais être vigilant.
Physiquement, il faut dormir, il faut se reposer, c'est
nécessaire pour le bon équilibre physique et même

psychique. Mais ce n'est pas dans le plan physique qu'il faut veiller, c'est dans le plan spirituel.

Il y a des années, le Maître Peter Deunov nous avait indiqué une formule à réciter au moment de se coucher. On la dit en appuyant la paume de la main droite sur le plexus solaire et le dos de la main gauche placé dans le dos, également au niveau du plexus solaire. Cette formule, le Maître nous l'a donnée en bulgare, évidemment. La voici :

« Gospod veuv méné é svétlina

Anguélité seu toplina,

Tchélovetsité seu dobrina.

Gospod veuv méné é svétlina,

Douheut mi é toplina

Az seum dobrina. »

Vous pouvez, si cela vous est plus facile, la dire en français :

Dieu est en moi lumière,

Les anges sont la chaleur,

Les hommes sont la bonté.

Dieu est en moi lumière,

Mon esprit est la chaleur,

Je suis la bonté. »

Vous méditez quelques minutes, puis vous tracez de la main droite un pentagramme dans l'air. Pourquoi un pentagramme ? Traditionnellement, le pentagramme est un symbole que les mages placent à l'entrée de leur demeure pour repousser les esprits du mal. Bien sûr, il ne suffit pas de tracer un pentagramme pour être protégé. Mais si vous vous efforcez de mener chaque jour une vie raisonnable et pure, et que vous traciez ensuite le pentagramme, il renforcera votre travail et vous serez réellement protégé.

Certains penseront : « Mais pourquoi nous raconter tout ça ? Les mauvais esprits... se protéger avant le sommeil... Laissez-nous tranquilles, nous avons le droit de vivre comme nous l'entendons. » Ça, je sais, je sais, je n'ai aucun droit de toucher à votre vie, vous êtes libres de continuer à vivre au milieu de vos difficultés, je n'ai rien contre. Je parle seulement, j'explique, et ceux qui le souhaitent se mettront au travail.

# XVI

# LES VOYAGES DE L'ÂME
# PENDANT LE SOMMEIL

Quand on pense que l'être humain passe à peu près un tiers de son existence à dormir, comment peut-on ne pas souhaiter que ce temps ne soit pas tout à fait perdu, mais utilisé à des activités constructives ? Bien sûr, le sommeil sert à récupérer les énergies dépensées pendant la veille, mais cela se fait automatiquement, c'est le corps physique qui s'en occupe en collaboration avec le corps éthérique. Alors, pendant que le corps physique se rétablit, pourquoi ne pas donner à l'âme et à l'esprit la possibilité de s'instruire ou de faire un travail ? Faire un travail pendant le sommeil... cette idée, je le vois, est nouvelle pour beaucoup, et pourtant, sachez-le, ce travail est possible et il est même souhaitable.

Alors, avant de vous endormir, liez-vous par la pensée aux régions de l'univers que vous voulez visiter, pour rencontrer les êtres qui les habitent, afin d'aller étudier auprès d'eux. Evidemment, pour que ces grands êtres acceptent de vous instruire, vous

devez quand même leur montrer que vous êtes stable, fidèle, désintéressé, que vous êtes prêt à faire
tous les efforts nécessaires pour être admis dans leur
Ecole. Et ces efforts, ce sont tout d'abord des préparatifs. Sur la terre, on n'est pas admis à l'Uni-
versité sans préparatifs, sans études préliminaires ;
eh bien, pour être admis dans les Universités célestes, il y a aussi des conditions à remplir. C'est pourquoi, chaque jour, dites-vous : « Attention, je dois
penser à me préparer au sommeil en veillant à ne
pas me surcharger de toutes sortes de matières
encombrantes ; que ce soit pour la nourriture, les
pensées, les sentiments, je vais choisir les éléments
les plus purs, les plus lumineux, pour construire mon
cerveau, mon cœur, mes poumons. C'est ainsi que
je serai toujours plus léger, plus éveillé, plus actif. »

Si vous vous exercez dès maintenant à purifier
et à éclairer votre corps physique, il viendra un
moment où, même quand vous lui donnerez quelques heures pour se reposer, vous, de l'autre côté,
avec votre esprit, vous pourrez continuer à vous instruire, à travailler et même à aider les humains.

Celui qui ne s'est jamais exercé à faire de son
corps l'instrument de l'esprit, n'a pas la possibilité
de se libérer pendant son sommeil pour faire un travail dans le monde invisible. Une fois endormi, il
reste attaché à son corps, autour duquel il tourne
en rond toute la nuit, et il dort d'un sommeil pesant,
traversé de rêves pénibles. Il faut comprendre que,

dans la vie spirituelle, le corps a un rôle très important à jouer : s'il n'est pas éduqué, il empêche l'esprit de partir en voyage pour faire son travail. Eh oui, il y a sommeil et sommeil, et si la majorité des gens savaient dans quels endroits psychiques ils vont quand ils s'endorment, ils seraient épouvantés. Ils pataugent au milieu des marécages de toutes leurs mauvaises habitudes et de leurs désirs grossiers. Très peu sont capables de se dégager afin de sortir librement du corps physique et de parcourir l'espace à la découverte d'autres régions, d'autres êtres. Bien sûr, c'est difficile, mais cela vaut la peine de faire des efforts pour prendre contact avec les réalités les plus riches et les plus belles du monde invisible.

Quand votre âme parvient à s'échapper loin du corps pendant le sommeil, elle ne reste jamais inactive, elle voyage, elle contemple l'immensité, elle communie avec les esprits célestes, elle se renforce dans la connaissance de l'amour, de la sagesse et de la vérité. Et lorsqu'elle revient, elle rapporte le souvenir de toutes ces révélations et tâche de les communiquer au cerveau.

C'est ce souvenir que l'on appelle les rêves. Voilà pourquoi c'est tout de suite, au réveil, qu'il faut chercher à se remémorer ses rêves, car à ce moment-là les images les plus importantes flottent encore dans le cerveau. Quelquefois, c'est dans le cours de la journée que les rêves reviennent à la mémoire, mais il vaut mieux chercher à s'en souvenir au réveil. Si vous vous habituez à retrouver dès votre réveil les rêves de la nuit, vous aurez plus de facilité pour vous souvenir de certaines expériences que vous avez faites, ou même de certains avertissements et conseils qui vous montreront la conduite à tenir pendant cette nouvelle journée. Vous direz peut-être : « Mais pourquoi cela ne m'arrive-t-il jamais à moi ? Je ne me souviens pas avoir fait de tels rêves. » C'est parce que votre cerveau n'est pas encore organisé pour recevoir les empreintes, les images que l'âme ramène de ses voyages dans le monde invisible.

Mais même si vous n'en êtes pas tout de suite conscient, comme toutes ces grandes vérités laissent en vous une empreinte éthérique, un jour ou l'autre, vous finirez par en prendre conscience. Voilà pourquoi il arrive que vous receviez soudain, comme dans un éblouissement, des révélations que votre subconscient portait certainement déjà en vous depuis longtemps : auparavant le moment n'était pas venu encore d'en prendre conscience, mais il y a eu un instant propice où le cerveau se trouvait dans de bonnes conditions et, d'un seul coup, la lumière a jailli en vous. Evidemment, il faut pour cela avoir un haut idéal et un grand amour pour les choses sublimes.

Pour la majorité des humains, qui n'ont aucune véritable aspiration spirituelle, il ne se passe rien de pareil ; non seulement la plupart du temps leur âme reste là, près du corps, paralysée, ligotée, mais même s'il lui arrive exceptionnellement de se dégager et de capter quelques bribes de connaissances, lorsqu'elle revient et tâche de les communiquer au cerveau, elle n'y arrive pas. Tant que le cerveau n'est pas suffisamment développé, affiné, les découvertes de l'âme ne le pénètrent pas ; elles se déposent uniquement sur le côté éthérique (puisque tout s'enregistre automatiquement sur le côté éthérique), mais pour arriver à pénétrer réellement la matière du cerveau, il leur faut beaucoup de temps, et quelquefois même, elles n'y arrivent pas. C'est pourquoi les grandes vérités que l'âme a déjà captées, le cerveau, tellement obtus, n'en prend souvent conscience que des années après, et même quelquefois jamais. Vous devez donc vous habituer à travailler sur la matière de votre corps physique pour la purifier, la rendre sensible, réceptive, c'est ainsi que votre âme parviendra de plus en plus facilement à enregistrer les réalités du monde divin et à les communiquer au cerveau.

Pour moi, rien n'est plus important que d'avoir une vision claire de l'univers. Mais pour l'obtenir, ce n'est pas obligatoirement les écoles ou les bibliothèques qu'il faut fréquenter, car ceux qui enseignent dans les écoles ou qui ont écrit des livres n'ont que très rarement été inspirés par les grands êtres d'en haut. Quand je lis un livre, je me demande toujours si son contenu est véridique, car je veux être instruit par ceux qui savent. Et ceux qui savent ne sont souvent plus sur la terre. Il faut les chercher et se lier à eux par l'esprit, et un jour on a des révélations, on fait des découvertes.

Il a dû vous arriver de vous réveiller le matin avec la sensation qu'un éclaircissement s'était fait dans votre conscience. Vous ne savez pas d'où cela vous vient ; c'est comme si vous aviez vu, entendu, compris quelque chose, mais vous ne savez exactement ni où ni comment, vous sentez seulement que vous avez appris quelque chose de nouveau et de précieux. Ce sont des entités divines qui vous ont fait pendant la nuit des révélations. Ce qu'on enseigne dans les écoles et les universités n'est le plus souvent qu'un lointain reflet de la vérité. La véritable réalité des choses, vous ne pouvez l'apprendre qu'en haut.

C'est pourquoi, au lieu de vous précipiter sur les livres des bibliothèques, pensez que vous pouvez utiliser le sommeil pour vous instruire, en demandant aux entités de la sagesse de vous accepter dans leur Ecole. Peut-être qu'au réveil, vous ne vous souviendrez pas de ce que vous avez vu et entendu, mais cela restera gravé en vous et un jour vous serez étonné de constater que beaucoup de choses sont en train de s'éclaircir. Il faut comprendre combien le sommeil devient un acte sacré lorsqu'on s'endort avec l'intention d'étudier dans l'autre monde, car c'est là que l'on reçoit la véritable Initiation. Aussi est-ce pendant la nuit que le disciple quitte son corps pour rejoindre son Maître ; il continue à s'instruire auprès de lui et quand il se réveille le matin, même s'il ne se souvient pas exactement de ce qu'il a ainsi vu et compris, il reste en lui la sensation de quelque chose de beau, de lumineux qui l'accompagne toute la journée.

Moi aussi, je vous parle parfois pendant la nuit, je vous explique ce que je ne peux pas encore vous révéler dans le plan physique, car vous ne le comprendriez pas. Et surtout, pour le moment vous ne sauriez qu'en faire. Tandis que maintenant, les vérités que je vous transmets par la pensée commencent à agir dans votre subconscient, et le jour où vous serez capable de les saisir et de travailler avec elles, elles se révéleront à vous.

Ce qu'un Initié ne peut pas faire pendant la journée, qui est trop courte, il peut le faire pendant la nuit. Au cours d'une journée, il ne lui est possible de recevoir qu'un tout petit nombre de personnes chez lui et encore pendant quinze ou vingt minutes au plus. Ces personnes viennent à lui accablées, tourmentées ; comment les aider en si peu de temps ? Par contre, durant la nuit, un Initié peut être en plusieurs endroits à la fois pour aider ceux qui ont besoin de lui : son corps physique est là, allongé, immobile, mais son esprit va partout pour aider et éclairer les créatures. Son esprit ne dort pas, il reste actif. Voilà la différence entre un Initié et un homme ordinaire.

Et vous aussi, vous pouvez commencer ce travail. Pensez à toutes les créatures sur la terre qui sont malheureuses, qui souffrent, qui sont dans les ténèbres. Pendant la nuit, vous aussi, vous pouvez les aider, mais à condition d'apprendre à vous préparer au sommeil. Avant de vous endormir, dites-vous : « Voilà, je vais quitter mon corps cette nuit pour aller m'instruire dans le monde invisible et essayer d'aider ceux qui en ont besoin. » N'oubliez jamais de vous endormir avec un but magnifique pour aller exécuter des travaux de l'autre côté, car c'est cette pensée qui fait tout.

Bien sûr, pour que les conseils que je vous donne soient efficaces, il faut que, pendant la journée déjà, vous ayez fait l'effort de vivre raisonnablement. Il ne suffit pas de balbutier quelques mots avant de s'endormir. Si vous avez passé la journée dans l'agitation intérieure, les émotions ou les passions, vous ne devez pas vous attendre à faire pendant le sommeil un bien grand travail. Votre âme tournera autour de votre corps sans jamais pouvoir s'éloigner de lui.

Quand vous avez des problèmes, des questions qui vous préoccupent, vous pouvez essayer de les résoudre aussi pendant le sommeil, en les inscrivant même sur une feuille de papier que vous placez sous votre oreiller. Bien sûr, un ange ne viendra pas pendant la nuit se présenter à vous pour vous donner des explications détaillées comme pourrait le faire un être humain, mais vous aurez certainement une réponse sous la forme d'une sensation, d'une pensée qui, au réveil, vous traversera l'esprit. Il faut comprendre que ces exercices que je vous donne correspondent à une connaissance du psychisme humain et de son fonctionnement. Le fait de s'endormir avec une préoccupation bien précise déclenche dans le subconscient certains mécanismes psychiques, et il y a beaucoup de chercheurs qui reconnaissent avoir trouvé pendant leur sommeil la solution de problèmes qui les préoccupaient.

Le travail subconscient qui se fait pendant le sommeil peut toujours être utilisé par chacun pour la réalisation de ses projets, de ses idées. Vous voulez réaliser un désir, vous corriger d'un défaut, acquérir une qualité ? Méditez longuement et puis endormez-vous en gardant présent ce désir, cette question : ils continueront à travailler pendant votre sommeil.

J'ai fait dans ma jeunesse beaucoup d'exercices de ce genre, je suis même parvenu à me guérir de ma timidité par l'auto-suggestion. Car étant jeune, j'étais d'une timidité incroyable : je passais plusieurs fois devant un magasin avant d'oser y entrer. Je bafouillais quand je devais parler à quelqu'un que je ne connaissais pas. Lorsque mes sœurs amenaient leurs amies à la maison, je m'enfermais dans ma chambre et je ne ressortais que lorsqu'elles étaient parties... Quand j'ai compris que si je ne faisais rien, j'allais être handicapé toute ma vie par cette timidité maladive, j'ai décidé de m'en débarrasser. Comment m'y suis-je pris ? J'étais très jeune et inexpérimenté et je ne conseillerais aujourd'hui à personne la méthode que j'ai utilisée, car elle est un peu dangereuse. Je me concentrais sur un objet brillant en tâchant de me persuader que j'avais vaincu ma timidité, je me visualisais en train de faire tout ce que je n'osais pas faire dans la vie quotidienne. Je me concentrais si fort que j'arrivais à m'hypnotiser moi-même au point de m'endormir. J'ai fait plusieurs fois cette expérience et la timidité m'a quitté. C'est ainsi que je me suis guéri. Mais aujourd'hui, je ne recommencerais pas ces expériences, car elles peuvent avoir des conséquences très préjudiciables pour le système nerveux.

A condition d'apprendre à le faire raisonnablement, l'utilisation du sommeil pour la réalisation de certains projets est très bénéfique. Vous savez, par exemple, que quelqu'un ne vous aime pas et ne cherche qu'à vous nuire. Si vous ne pouvez pas aller le trouver pour vous expliquer avec lui, endormez-vous avec la pensée que vous irez le voir pendant la nuit pour lui dire : « Ecoute, mon vieux, même si tu réussis à me faire du mal, qu'est-ce que tu y gagneras ? Tu te réjouiras un moment, moi je souffrirai un peu, mais cette souffrance me renforcera. Alors, c'est toi qui y perdras et tu auras en plus un karma à payer. Donc, arrête cette affaire qui n'est pas avantageuse pour toi. » En agissant ainsi, vous exercez une influence sur son subconscient et il se peut qu'il change ; mais en admettant qu'il ne change pas, c'est au moins vous qui aurez appris à faire encore un travail par la pensée.

Il y a encore tellement d'autres circonstances où vous pouvez utiliser le sommeil pour faire un travail ! C'est à vous de les trouver, à vous de trouver comment toutes ces heures que vous êtes obligé de passer à dormir peuvent ne pas être entièrement perdues pour le travail, mais servir à d'autres activités pour lesquelles vous n'avez pas le temps dans la journée. Oui, vous voyez, le domaine de l'esprit est immense, il va jusqu'à l'infini.

# XVII

# ABRI PHYSIQUE ET ABRIS PSYCHIQUES

Bien que ce soit le cas le plus fréquent, l'âme de l'homme ne quitte pas son corps physique uniquement pendant le sommeil. En réalité, il arrive aussi que cette séparation se produise pendant la veille, car l'âme peut quitter le corps à tout moment pour voyager, visiter des amis... Evidemment, ce phénomène est plutôt rare, très peu de personnes sont capables de se dédoubler. Pour la plupart, même quand elles dorment pendant la nuit, leur âme reste là, ligotée au corps physique ; alors à plus forte raison sont-elles incapables de quitter consciemment leur corps pendant le jour pour entreprendre des voyages dans l'espace et revenir ensuite à leurs activités quotidiennes.

Mais vous ne devez pas prendre mes paroles pour un encouragement à essayer de vous dédoubler, car si vous n'êtes pas suffisamment préparé, de grands dangers psychiques vous menacent. Si vous ne commencez pas par vous purifier et vous renforcer pour faire face à toutes les agressions du plan astral, c'est très dangereux de quitter le corps car vous le laissez sans protection, à la merci de n'importe quelle entité qui voudra s'y installer ; c'est exactement comme une maison que vous quitteriez en la laissant grand-ouverte et sans surveillance. Alors, faites attention, ne soyez pas pressé d'apprendre à vous dédoubler.

Certaines personnes m'ont raconté des expériences qu'elles ont faites alors qu'elles méditaient : elles s'étaient trouvées soudain devant quelque chose qui les avait effrayées et elles ne savaient pas ce qui leur était arrivé. C'est tout simplement qu'elles étaient sorties de leur corps et avaient été attirées dans les régions ténébreuses du plan astral où elles s'étaient senties poursuivies, menacées. Car on ne fait pas toujours dans le plan astral des rencontres rassurantes. Si une pareille aventure vous arrive pendant une méditation, sachez que la première chose à faire, c'est de rentrer dans votre corps physique pour vous mettre à l'abri. Ne cherchez pas à poursuivre l'expérience sous prétexte qu'elle est nouvelle, originale et qu'elle excite votre curiosité ; tâchez de rentrer dans votre corps le plus tôt possible.

Si vous vous préparez pendant des années, en veillant surtout à la pureté : pureté de la nourriture, des pensées, des sentiments, et en pratiquant de nombreux exercices pour vous dominer, vous maîtriser, alors peut-être qu'un jour votre âme pourra, comme elle le voudra, se détacher du corps physique et parcourir l'espace sans danger. Mais en attendant, ne vous lancez pas dans des expériences risquées, comme vous en proposent toutes sortes de livres occultes qui, sous prétexte de vous ouvrir les chemins de l'invisible, sont en réalité des livres très dangereux. Si vous voulez faire des exercices qui vous préparent à vous dédoubler un jour, je peux vous en donner un tout à fait inoffensif.

Certains jours, par exemple, où un ciel plus gris, plus brumeux vous pousse à être un peu somnolent, au lieu d'essayer de vous concentrer et de méditer — ce qui est inutile, vous n'y arriverez pas, il n'y a pas de conditions pour cela — tâchez d'arrêter votre pensée et de laisser votre âme s'étendre dans l'espace, en imaginant qu'elle va rejoindre l'Ame universelle et se fusionner avec elle. A son retour, elle vous rapportera quelques images des régions qu'elle aura contemplées. Mais n'oubliez pas que la qualité de ce que vous aurez vu dépendra de vous, de la nature et de la qualité de vos désirs, de vos sentiments, de vos pensées.

On peut dire que la nature de la vision est identique à celle du rêve. Ce n'est qu'une question de degré de conscience, l'une correspondant à l'état de veille et l'autre à l'état de sommeil. Vous vous demandez quelle confiance on peut accorder aux visions et aux rêves... Les uns et les autres reflètent le degré d'évolution de ceux qui les ont. Les rêves, les visions ont toujours un sens. Cependant, ceux qui n'ont pas su se dégager du plan astral inférieur recevront de ces régions troubles leurs visions et leurs rêves, et évidemment, on ne peut pas se fier à eux pour avoir des réponses exactes, une claire connaissance des choses. Cette connaissance ne peut s'obtenir que lorsque l'homme est parvenu à s'élever jusqu'aux plans causal, bouddhique, atmique.

En tout cas, l'idée essentielle que vous devez retenir de ce que je viens de vous dire, c'est qu'en cas de danger, il faut savoir s'échapper. Ne restez pas là où vous vous sentez menacé. Si, au cours de votre travail spirituel, vous sentez que vous faites une expérience dangereuse, fuyez, c'est la seule voie de salut, et tout dans la nature vous en donne l'exemple.

Voyez une taupe qui se promène dans le jardin : si vous la poursuivez, elle se dépêche de retourner sous la terre, car c'est là qu'elle est à l'abri. Comment sait-elle qu'elle doit se cacher dans ce trou pour vous échapper ? De même, lorsque vous poursuivez un poisson, un insecte ou n'importe quel autre animal, il s'enfuit dans un trou de rocher, dans un buisson, derrière une écorce ou sous une feuille. Les oiseaux, eux, s'échappent en s'envolant. Quant aux humains, selon les dangers qui les menacent, ils essayent de s'échapper dans une cave, sur un toit, dans un arbre ou sur l'eau... Mais ils ne courent pas seulement des dangers physiques, dans le plan psychique aussi ils sont menacés. Lorsque nous sommes poursuivis dans le monde astral, là où sont des monstres et des entités malfaisantes, nous devons rentrer rapidement dans le corps physique, autrement dit, dans notre trou, notre cave. C'est ce qui se passe lorsqu'on fait un cauchemar : on se sauve en se réveillant car, en rentrant dans son corps, on change de monde.

Il vous est certainement arrivé de faire des cauchemars et vous avez pu remarquer que le plus souvent, ils s'interrompaient tout d'un coup parce que vous vous réveilliez en sursaut, bien soulagé de vous retrouver chez vous, dans votre lit, à l'abri. Et vous vous êtes dit : « Heureusement, ce n'était qu'un rêve ! » En réalité, le véritable abri, ce n'était ni votre lit, ni votre chambre, mais votre corps physique. Et le réveil en sursaut a été provoqué par le fait que, subconsciemment, vous saviez que, pour vous défendre des êtres ou des forces hostiles du plan astral, vous deviez rentrer précipitamment dans votre corps qui est comme une forteresse où vous pouviez vous réfugier. Si vous étiez resté dans le plan astral, vous auriez continué à être à la merci des ennemis. Mais en quittant ce plan, vous êtes rentré dans votre corps physique qui est épais, solide, et vous leur avez échappé. Les esprits n'ont pas accès à tous les plans, ils sont créés pour vivre et agir dans un plan déterminé. Les entités du plan astral ne peuvent donc pas nous poursuivre partout ; si nous savons changer de plan, nous sommes sauvés, et c'est d'ailleurs cette possibilité de passer d'un plan à l'autre qui fait de l'homme un être supérieur.

Un jour, vous êtes chagriné, découragé, vous avez l'impression que tout le monde est contre vous... Mais soudain vous vous endormez, c'est-à-dire vous montez dans l'autre monde, et lorsque vous vous réveillez, vous sentez que tout à changé. Que s'est-il passé ? Vous avez fui, tout simplement, et ceux qui vous poursuivaient n'ont pu vous suivre. Si on vous persécute dans le plan physique, vous pouvez vous échapper dans le plan astral, et si c'est dans le plan astral que l'on vous poursuit, vous avez toujours la possibilité de rentrer dans votre corps.

Beaucoup de souffrances vous seront épargnées si vous savez changer de région. Si vous ressentez de la tristesse, du découragement, essayez d'aller là où vous leur échapperez. Si vos tourments se trouvent dans l'intellect, allez dans le cœur. Si vous êtes poursuivi à la fois dans le cœur et dans l'intellect, montez dans l'âme. Si l'on vous poursuit aussi dans l'âme, réfugiez-vous dans l'esprit ; dans l'esprit, plus rien ne peut vous atteindre.

# XVIII

# LES SOURCES DE L'INSPIRATION

Imaginons que vous devez vous adresser à un public : les meilleures conditions sont réunies, vous avez préparé votre discours, la salle est magnifique, tout est impeccable. Vous parlez, vous parlez, mais vous sentez que vous ne produisez aucun effet sur les auditeurs, il manque quelque chose, on ne sait quoi... Mais soudain, voici qu'une force, un courant vient s'emparer de vous : vous n'avez même plus besoin de lire votre papier, les idées, les mots vous arrivent naturellement, le son de votre voix et vos gestes deviennent extraordinairement expressifs, et vous soulevez votre auditoire. Eh oui, ce sont des choses qui arrivent... Et même si vous n'avez jamais eu l'occasion de parler en public, vous avez quand même pu faire la même expérience en parlant avec des amis : soudain, vous vous sentez transporté comme si vous étiez piqué par une mouche... céleste !... et vous êtes étonné vous-même de sentir combien tout devient facile ; comme si c'était un

autre être que vous, un être plus sage, plus rayonnant qui s'exprimait.

Evidemment, ce sont plutôt les artistes, les comé-
diens, les musiciens qui vivent ce genre d'expérience.
Car il ne suffit pas à un artiste, par exemple, de connaître son rôle, sa partition par cœur ; il a beau le
jouer, l'exécuter impeccablement, tant qu'il n'est
pas saisi par cette puissance inconnue, l'inspiration,
il ne sort rien de lui, aucun rayonnement, aucun
éclat, aucun parfum et le public reste froid, il n'est
pas touché.

Tous ceux que l'on appelle des génies sont justement des êtres qui arrivent plus facilement, plus
naturellement que les autres à se mettre sous
l'influence de cette force psychique supérieure :
l'inspiration. Chaque être humain possède à un
degré plus ou moins grand cette capacité de recevoir l'inspiration. Ne serait-ce que pour déclarer son
amour à celui ou celle qu'il aime... à moins que là
ce ne soit justement le contraire, car cela arrive
aussi : être perdu, bafouiller, trembler, ne plus
savoir que dire, un blocage complet.

En réalité, l'homme, réduit à ses seules ressources, n'est pas tellement capable de produire des créations géniales, il faut qu'il fasse appel à une autre
nature en lui afin d'entrer en relation avec le monde
de l'âme et de l'esprit d'où viennent la force, la
lumière, la beauté. Il est donc important de con-

naître les conditions favorables à l'inspiration, conditions dans le plan physique, mais aussi dans le plan astral et dans le plan mental. Car l'inspiration ne vous visite pas par hasard.

Vous direz qu'il vous est arrivé d'avoir des inspirations dans des circonstances, des endroits ou des positions assez invraisemblables. Oui, c'est vrai, ça peut arriver. Et vous pouvez aussi réunir toutes les conditions matérielles idéales pour recevoir l'inspiration et ne rien obtenir du tout. L'inspiration ne vient pas nécessairement parce que vous serez assis en lotus, les yeux fermés au milieu de nuages d'encens. Ce ne sont pas là les conditions dont je parle. La première condition pour l'inspiration est la façon de vivre. C'est la façon de vivre qui prépare l'inspiration.

Il ne faut pas s'imaginer qu'on recevra l'inspiration si l'on se laisse aller à faire n'importe quoi, si l'on ne veille pas à la pureté de ses pensées, de ses sentiments et de ses actes. Bien sûr, l'inspiration vient comme ça, soudainement, parfois même au moment où on s'y attend le moins, mais elle ne vient que chez ceux qui, d'une façon ou d'une autre, se sont préparés à la recevoir. Rien n'arrive par hasard, ni ce qui est bon, ni ce qui est mauvais. Quelqu'un se croit en bonne santé et voilà qu'un jour il est terrassé par une crise cardiaque. Là non plus, ce n'est pas arrivé par hasard. De même qu'un pont ou une maison ne s'écroule pas par hasard,

de même qu'une avalanche ne se déclenche pas par
hasard, rien dans la vie ne se produit par hasard,
même si aucun indice apparent ne le laissait prévoir.

Maintenant, bien sûr, il y a toutes sortes de
moyens pour provoquer l'inspiration : l'alcool, la
drogue... mais là, en réalité, il s'agit davantage
d'excitation que d'inspiration. Quand je parle d'inspiration, j'entends uniquement des forces, des courants, des entités que, grâce à son travail, à ses aspirations élevées, l'homme a réussi à attirer à lui de
très haut. Ces courants, ces entités qui se fraient le
chemin à travers ses centres mentaux cherchent à
s'exprimer, et c'est ainsi que sont nés tous les chefs-
d'œuvre de la pensée et de l'art. Mais ce n'est ni
l'alcool, ni la drogue qui attirent l'étincelle de
l'inspiration.

D'ailleurs, ce n'est pas parce qu'un homme est
traversé par un courant psychique très puissant qui
agit magnétiquement sur un public ou un auditoire,
que l'on peut dire qu'il est véritablement « inspiré »,
car l'essentiel, pour parler d'inspiration, c'est l'origine, le lieu où elle prend sa source. Prenons l'exemple de tout à l'heure : la parole. Ce n'est pas parce
qu'un homme possède le pouvoir de galvaniser des
foules et de les tenir sous son emprise qu'il est réellement inspiré au sens où les Initiés entendent l'inspiration. Combien de fois on a vu cela chez certains
hommes politiques ! On ne peut pas nier qu'ils aient
un don mais ce don n'est que l'extension, l'ampli-

fication de certaines forces et énergies psychiques qui sont souvent de nature très inférieure. Ce sont des sentiments ordinaires, des pensées ordinaires qui sont seulement exprimés avec plus d'intensité. C'est donc l'intensité, la quantité qui a augmenté, pas la qualité. Or, la véritable inspiration sous-entend la qualité, il entre en elle des éléments plus purs, plus subtils. La véritable inspiration, c'est l'inspiration divine.

C'est pourquoi il ne faut pas non plus confondre l'inspiration avec certaines formes de délire mystique. Celui qui entre véritablement en contact avec le Ciel ne peut que recevoir des courants de lumière, d'harmonie, de paix. Tous ceux qui se prétendent inspirés par le Ciel et qui gesticulent dans tous les sens en roulant les yeux et en tenant des discours excessifs ou incohérents, ou bien qui restent figés pendant des heures dans une posture qui imite l'extase, sont des déséquilibrés, des malades. Même s'ils parlent du Ciel, du Saint-Esprit, des anges, des archanges, en réalité ils sont malades, cela se voit ensuite dans toutes leurs façons d'agir. Ils croyaient entrer en communication avec le monde divin, alors qu'en fait, par manque de discipline, par manque de travail intérieur, ils n'ont réussi à se lier qu'aux régions souterraines du plan astral : de là ils ont reçu, bien sûr, des messages et des ordres, mais des messages et des ordres dont ils feraient mieux de se méfier.

Platon, lui aussi, s'est penché sur ces problèmes
de l'inspiration quand il a parlé des quatre formes
de « manie » ou « délire ». Ce sont : le délire pro-
phétique comme celui de la Pythie de Delphes, des
sibylles... Quand elles sont dans leur état ordinaire,
elles ne savent rien, elles ne peuvent rien dire. Mais
quand le dieu s'empare d'elles, elles prophétisent
et donnent des avertissements. Le délire thérapeu-
tique qui permet de trouver quels sont les rites de
purification et les prières qui délivrent des maladies
et des malheurs, aussi bien personnels que collec-
tifs. Le délire créateur par lequel les Muses inspirent les musiciens, les poètes et tous les artistes en
général. Enfin, le délire d'amour, inspiré par la
vision de la beauté sur un visage ou un corps parfait. Bien sûr, il faut comprendre que ces mots
« manie » ou « délire » n'ont pas chez Platon le
sens qu'on leur donne aujourd'hui. On a quelquefois l'occasion dans la vie quotidienne de rencontrer des gens qui ont des manies ou qui délirent, mais
malheureusement pas dans le sens de Platon !

Pour qu'on puisse véritablement dire de
quelqu'un qu'il est inspiré, il faut qu'il ait pu développer ses corps supérieurs afin d'entrer en relation
avec les courants et les entités du plan causal, du
plan bouddhique et du plan atmique.

Dans une autre conférence, je vous ai expliqué
que ceux qui se sont élevés jusqu'au plan causal sont
les génies ; ceux qui se sont élevés jusqu'au plan

bouddhique, les saints ; et enfin, ceux qui sont parvenus au sommet, c'est-à-dire jusqu'au plan atmique, sont les grands Maîtres.

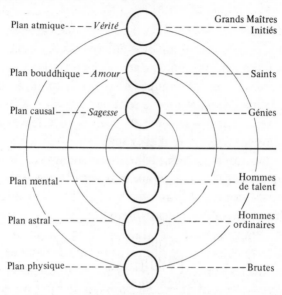

Plan atmique - - - - *Vérité* — — — — — Grands Maîtres / Initiés

Plan bouddhique – *Amour* — — — — — Saints

Plan causal - - - *Sagesse* — — — — — Génies

Plan mental - - — — — — Hommes de talent

Plan astral — — — — — Hommes ordinaires

Plan physique - - — — — — — Brutes

Un génie est donc un être qui est parvenu à atteindre le plan causal, c'est-à-dire le plan mental supérieur, et selon les dispositions qui sont en lui, il reçoit de cette région des éléments qui lui permettent de faire des découvertes dans le domaine de la science, de la pensée, ou de devenir créateur dans le domaine de l'art. Le saint est un être qui s'est élevé jusqu'au plan bouddhique, il communie avec l'amour de Dieu et sait le manifester autour de lui. Quant aux grands Maîtres qui sont allés encore plus

loin que les génies et les saints, ils sont parvenus
à se fondre dans la conscience divine, et là ils reçoivent la connaissance et les pouvoirs suprêmes.

Les génies sont des êtres inspirés, ce sont des
créateurs, mais leur vie est rarement une vie de sain-
teté, et même souvent bien au contraire. Grâce au
travail qu'ils ont réalisé dans les incarnations antérieures, ils ont obtenu ces dons qu'ils manifestent
maintenant, mais s'ils ne sont pas vigilants, s'ils se
laissent aller à vivre dans les régions inférieures de
la conscience, ils les perdront.

Les saints ne laissent peut-être aucune création
aucun chef-d'œuvre, mais ils vivent d'une vie pure,
une vie nourrie de l'amour divin qu'ils parviennent
à faire rayonner autour d'eux.

Quant aux grands Maîtres, ils vivent la même
vie pure et consacrée que les saints et ils créent aussi
comme les génies. La différence, c'est que leurs créations ne sont ni des poèmes, ni des symphonies, ni
des tableaux ; ce qu'ils veulent créer, c'est une nouvelle humanité et en travaillant patiemment, inlassablement sur le cœur, l'intellect, l'âme et l'esprit
des humains, ils leur permettent de progresser peu
à peu sur le chemin de l'évolution.

# XIX

## PRÉFÉRER LA SENSATION A LA VISION

Peu de gens sont conscients des dangers qu'ils courent à vouloir développer des facultés de clairvoyance. Ils se jettent là aveuglément parce que c'est nouveau, original. Oui, c'est tellement intéressant de s'aventurer dans un domaine qui est fermé pour la majorité des humains, afin de voir ce que les autres ne voient pas ! Malheureusement pour ces imprudents, ils n'auront pas beaucoup à chercher pour trouver toutes sortes de gens et de livres qui leur donneront les moyens de satisfaire leur curiosité.

C'est vrai, on ne peut pas le nier, il existe beaucoup de méthodes pour développer la clairvoyance, mais ce n'est pas une raison pour vouloir les appliquer sans discernement. Certains, par exemple, veulent apprendre à se dédoubler, mais ils ne savent pas que, s'ils ne sont pas préparés, pendant qu'ils seront hors de leur corps, d'autres esprits vont entrer en eux et prendre possession de leur être ; ils ne seront plus maîtres chez eux et il s'ensuivra toutes sortes de complications et de troubles.

D'autres veulent travailler sur les chakras, en faisant des exercices de concentration et de respiration prolongés. Bien sûr, ces exercices donnent des résultats, mais quels résultats ? Si vous voulez éveiller vos chakras sans avoir fait des études et un travail préalables, cela va se retourner contre vous. C'est exactement comme de confier des allumettes à un enfant, que va-t-il en faire ? Un incendie. Eh bien, il faut savoir que la force Kundalini, que l'on doit mettre en activité pour éveiller les chakras, est un véritable feu, et que celui qui n'a pas préalablement travaillé sur la pureté et la maîtrise, risque de voir le feu de Kundalini se déchaîner et tout dévaster en lui. Tandis que celui qui commence par travailler sur la pureté, la maîtrise, travaille aussi indirectement sur ses chakras, qui s'éveillent et se mettent à fonctionner sans danger pour lui.

Le chemin que je vous indique est toujours le meilleur et le plus sûr. Si, malgré les arguments que je ne cesse de vous présenter, vous voulez en suivre un autre, allez-y, mais après, tant pis pour vous : vous verrez bien si, sans avoir appris à dominer vos convoitises et vos tendances inférieures, vous allez véritablement faire un travail sur vos chakras et développer Ajna chakra qui est le centre de la clairvoyance ! Vous obtiendrez peut-être une certaine clairvoyance, mais c'est l'enfer que vous verrez.

Lorsqu'un clairvoyant regarde autour de lui, que croyez-vous qu'il commence par voir ? Le Ciel, les anges ? Malheureusement non. Il voit la cupidité, la convoitise des humains, les projets criminels qu'ils ont dans la tête, les haines qu'ils ont dans le cœur, les dangers qui les guettent, et c'est épouvantable d'avoir tout le temps sous les yeux des choses pareilles. Souvent les clairvoyants sont les êtres les plus malheureux. Combien poussent des cris et disent : « Seigneur, délivre-moi de ce don que Tu m'as fait, car je ne vois partout que des choses horribles, je souffre trop. »

Et vous, que croyez-vous que vous allez faire ? Pensez-vous que vous pourrez résister ? Non, si vous avez réussi à développer la clairvoyance sans avoir au moins développé en vous l'amour, la bonté, la force, la maîtrise, vous allez regretter le temps où vous ne voyiez rien, car même si vous viviez dans les illusions, c'était mille fois préférable. Au contraire, si vous avez vaincu beaucoup de faiblesses en vous, si vous vous êtes préparé, purifié, si vous savez vous dominer et que vous ayez beaucoup d'amour pour les humains, quand vous devrez voir le mal (car il est impossible de ne pas le voir), grâce à votre amour, à votre courage, à votre maîtrise, vous ne tremblerez pas, vous ne serez ni effrayé ni désespéré, et vous pourrez même envoyer de l'aide par la pensée.

Ne soyez pas pressé de devenir clairvoyant, parce que vous courez vers de grands chagrins et même un grand dégoût de vivre parmi les humains. Ce n'est donc pas tellement souhaitable. Comme il n'est pas souhaitable non plus d'avoir un odorat très développé ; et heureusement que c'est chez l'homme un des sens les plus rudimentaires, sinon les gens ne pourraient plus se supporter mutuellement tant ils propagent d'odeurs nauséabondes à cause de leur façon tellement défectueuse de se nourrir, de vivre et de penser.

Tant que l'on n'est pas préparé à dominer son dégoût ou ses frayeurs, il ne faut pas chercher à voir. Et d'ailleurs, on se demande pourquoi certains veulent tellement « voir », comme si c'était cela le sommet de la vie spirituelle. Voir les gains d'argent, les faillites, les futurs mariages, les divorces, les ennemis, les amis, les maladies, qu'y a-t-il là de tellement extraordinaire ? C'est toujours les mêmes faiblesses humaines, pourquoi développer d'autres facultés pour voir ça ? Vous ne trouvez pas qu'on voit assez de choses de ce genre avec ses seuls yeux physiques, non ? Combien de fois on est fatigué, écœuré de tout ce qu'on a sous les yeux. Alors, pourquoi vouloir en voir davantage pour finir par être écrasé, malade ? Est-ce intelligent ? Voir... voir... mais voir quoi ? C'est là la question. Dites-vous bien que la clairvoyance vous empêchera d'évoluer si vous l'avez développée avant le terme, c'est-à-dire avant d'avoir développé les qualités qui vous permettront de faire quelque chose d'utile avec ce que vous voyez. Il ne suffit pas de voir, il faut être capable de saisir et de comprendre ce que vous découvrira le Ciel, mais aussi d'affronter et de supporter les visions de l'enfer.

Moi, il y a longtemps que j'ai compris que développer la clairvoyance ne m'apporterait pas grand-chose, au contraire, et je n'ai rien fait pour la développer. C'est pourquoi je ne vois rien, mais je sens ; les couleurs, les courants, les entités, je ne les vois pas, mais je les sens. Je préfère ne rien essayer de voir, mais travailler chaque jour à sentir le Ciel, chaque jour sentir la présence de quelque chose de beau, d'intense.

Il existe une faculté plus puissante que la vision, c'est la sensation. Oui, car la seule véritable réalité pour l'homme, c'est ce qu'il sent ; le reste, la réalité extérieure, Dieu sait seulement si c'est une réalité pour lui ! Si quelqu'un souffre parce qu'il se croit persécuté, poursuivi, allez lui dire que c'est une illusion ! Même si personne ne le persécute, sa sensation à lui d'être persécuté n'est pas une illusion. Et quand, au milieu des pires conditions, il arrive que certains êtres vivent des extases, des illuminations, là aussi, comment les persuader que ce n'est pas vrai ? La souffrance ou la joie que l'homme éprouve sont peut-être les seules choses dont il ne doute pas. Il peut douter de ce qu'il voit, de ce qu'il entend, de ce qu'il touche, mais ce qu'il ressent, il ne peut pas en douter. Quoi qu'il fasse, cette sensation intérieure sera toujours pour lui plus importante que la vision. Grâce à la sensation, il est au cœur des choses, il les touche, il les vit.

Combien y a-t-il de gens qui, devant ce qu'ils voient, ne sentent rien ! Ils voient un lever de soleil, qui est l'un des plus beaux spectacles de la nature, et ils ne ressentent rien. A quoi cela leur sert-il alors de le voir ? A quoi cela vous servira-t-il de voir le Ciel ouvert devant vous, si vous ne sentez rien de toute cette splendeur ? Tandis que, si vous sentez le Ciel, c'est comme s'il était en vous et vous n'avez plus besoin de le voir. Il est donc plus important d'éduquer la sensibilité au monde divin que de développer la clairvoyance. Quand vous sentez le Ciel, quand vous sentez la paix, quand vous sentez la joie, la pureté, c'est la plus grande réalité. Alors, que demandez-vous de plus ?

Il faut comprendre : tout ce que nous voyons, tout ce que nous touchons et croyons avoir près de nous se trouve déjà loin de nous. Seul ce qui est en nous est proche de nous. C'est pourquoi la vraie clairvoyance est dans la sensation intérieure, profonde, et non dans la vision de quelque chose d'extérieur à nous.

Croyez-moi, je ne suis pas là pour vous empêcher de vous développer dans tous les domaines, d'obtenir la clairvoyance, le pouvoir de guérir, de prophétiser, de commander aux éléments ou même de transformer le plomb en or, si vous en êtes capable. Je ne suis pas contre. Je travaille justement pour que vous alliez aussi loin que possible dans l'évolution, mais pas comme vous le souhaitez ou l'entendez, pas comme vous l'avez lu dans certains ouvrages anciens ou récents qui sont très dangereux. Je sais que la philosophie que je vous apporte ne sera ni agréable ni appétissante pour vous, mais si vous la prenez au sérieux et l'appliquez, les résultats seront divins. Voilà ce que vous n'arrivez pas encore à comprendre. Parce que vous êtes poussé à aimer un tas de choses, sauf ce qui est essentiel. Or, l'essentiel, c'est d'apprendre à vivre. Ce n'est qu'ensuite qu'on peut se permettre de développer telle ou telle faculté, de devenir guérisseur, clairvoyant, astrologue, kabbaliste, alchimiste, etc. Tant que la question de la vie, « comment vivre », n'est pas réglée, quoi que vous fassiez, vous êtes exposé à tous les dangers.

Maintenant, avant de terminer, je voudrais encore vous dire ceci. La clairvoyance est un don que certains êtres peuvent recevoir comme d'autres reçoivent un don pour la musique ou les mathématiques. Alors, si vous avez reçu ce don, tâchez de le protéger, afin qu'il puisse vous servir à vous rapprocher toujours du Ciel. Pour le protéger, vous devez sans cesse travailler sur la pureté : pureté dans les pensées, dans les sentiments, dans les actes.

Mais ce n'est pas tout, pour le protéger, il est préférable aussi d'en parler le moins possible autour de vous. S'il vous est donné cette grâce d'entrer en

contact avec le monde divin, de communier avec les
entités lumineuses ou même de les voir, ne le racon-
tez pas. D'abord il y a un danger qu'on vous com-
prenne mal et que certains vous classent même parmi
les insensés. Vivez cette vie divine et ne dites rien.
Pourquoi aller raconter tout cela ? Profitez de ces
bénédictions, distribuez autour de vous tout ce qui
déborde, mais sans que personne sache d'où cela
vient.

L'autre raison de ne pas en parler, c'est que du
jour où les gens savent qu'un être possède un don
de clairvoyance, ils ne peuvent faire autrement que
de l'assaillir par des demandes de toutes sortes, les
plus prosaïques ou même les plus criminelles. Oui,
des hommes, des femmes qui voudront savoir s'ils
vont devenir député ou ministre, si leur mari ou leur
femme les trompe, s'ils doivent changer de pays
pour gagner plus d'argent, s'ils seront rapidement
débarrassés d'un rival ou d'une rivale, si la mort
d'un parent les mettra enfin en possession d'un riche
héritage, etc., etc. Alors, vous, qu'allez-vous devenir
au milieu de tout ça ? Quand les uns et les autres
vous auront sans cesse ramené au niveau de leurs
préoccupations les plus ordinaires, est-ce que vous
croyez que vous pourrez souvent vous arracher de
là pour goûter le Ciel ? Malheureusement non, et
vous allez perdre votre lumière, votre inspiration,
tout ce qui donnait un sens à votre vie. Donc il faut
protéger cette faculté qui est un don du Ciel, et dans

le silence vous pourrez aider les autres bien davantage qu'en leur faisant toutes sortes de révélations sur leurs succès, leur amours ou leurs héritages.

Il est temps que les humains comprennent ce qu'est réellement une Ecole initiatique. Beaucoup trop encore s'imaginent que c'est là qu'ils vont obtenir la clairvoyance, les pouvoirs magiques et toutes sortes de facultés fantastiques qui leur permettront de satisfaire leurs désirs et leurs ambitions. Non, la véritable raison d'être d'une Ecole initiatique est d'entraîner les humains dans un travail incessant pour la réalisation du Royaume de Dieu sur la terre, c'est-à-dire la fraternité parmi les humains. Pour entreprendre ce travail, vous n'avez pas besoin d'être clairvoyant ni de posséder des pouvoirs exceptionnels : vous avez seulement besoin de devenir plus sage, plus pur, plus généreux, plus désintéressé et plus maître de vous.

# TABLE DES MATIÈRES

*Du même auteur :*

## Collection Izvor — Table des matières

n'est éternelle — III. Chercher l'esprit derrière les formes — IV. L'avènement de l'Eglise de saint Jean — V. Les bases d'une religion universelle — VI. La Grande Fraternité Blanche Universelle — VII. Comment élargir la notion de famille — VIII. La Fraternité, un état de conscience supérieur — IX. Les congrès fraternels au Bonfin — X. Donner à chaque activité une dimension universelle.

ter pour se libérer — VIII. Anarchie et liberté — IX. Sur la notion de hiérarchie — X. La synarchie intérieure.

### 212 – LA LUMIÈRE, ESPRIT VIVANT

I. La lumière, essence de la création — II. Les rayons du soleil : leur nature et leur activité — III. L'or, condensation de la lumière solaire — IV. La lumière qui permet de voir et d'être vu — V. Le travail avec la lumière — VI. Le prisme, image de l'homme — VII. La pureté ouvre les portes à la lumière — VIII. Vivre la vie intense de la lumière — IX. Le rayon laser dans la vie spirituelle.

### 213 – NATURE HUMAINE ET NATURE DIVINE

I. Nature humaine... ou nature animale ? — II. La nature inférieure, reflet inversé de la nature supérieure — III. A la recherche de notre véritable identité — IV. Comment échapper aux limitations de la nature inférieure — V. Le soleil, symbole de la nature divine — VI. Exploiter les ressources de la nature inférieure en la dominant — VII. S'améliorer c'est donner à la nature supérieure de plus en plus de conditions pour se manifester — VIII. La voix de la nature divine — IX. L'homme ne peut s'épanouir qu'en servant sa nature supérieure — X. Comment favoriser les manifestations de la nature supérieure en soi et chez les autres — XI. Le retour de l'homme en Dieu.

### 214 – LA GALVANOPLASTIE SPIRITUELLE ET L'AVENIR DE L'HUMANITÉ

I. La galvanoplastie spirituelle — II. L'homme et la femme, reflets des deux principes masculin et féminin — III. Le mariage — IV. Aimer sans vouloir posséder — V. Comment améliorer les manifestations de l'amour — VI. Seul l'amour divin préserve l'amour humain — VII. L'acte sexuel du point de vue de la Science initiatique — VIII. Sur l'essence solaire de l'énergie sexuelle — IX. La conception des enfants — X. La gestation — XI. Les enfants de notre intellect et de notre cœur — XII. Redonner à la femme sa véritable place — XIII. Le Royaume de Dieu, enfant de la Femme cosmique.

### 215 – LE VÉRITABLE ENSEIGNEMENT DU CHRIST

I. « Notre Père qui es aux cieux... » — II. « Mon Père et moi nous sommes un » — III. « Soyez parfaits comme votre Père Céleste est parfait » — IV. « Cherchez le Royaume de Dieu et sa Justice » — V. « Sur la terre comme au Ciel » — VI. « Celui qui mange ma chair et boit mon sang a la vie éternelle » — VII. « Père, pardonne-leur car ils ne savent ce qu'ils font » — VIII. « Si quelqu'un te frappe sur une joue... » — IX. « Veillez et priez ».

### 216 – LES SECRETS DU LIVRE DE LA NATURE

I. Le livre de la nature — II. Le jour et la nuit — III. La source et le marécage — IV. Le mariage, symbole universel — V. Le travail de la pensée : extraire la quintessence — VI. La puissance du feu — VII.

L'apprentissage de la volonté — VI. Corps, âme, esprit — VII. Connaissance extérieure, connaissance intérieure — VIII. De l'intellect à l'intelligence — IX. La véritable illumination — X. Le corps causal — XI. La conscience — XII. Le subconscient — XIII. Le Moi supérieur.

## 223 — CRÉATION ARTISTIQUE ET CRÉATION SPIRITUELLE

I. Art, science et religion — II. Les sources divines de l'inspiration — III. Le travail de l'imagination — IV. Prose et poésie — V. La voix — VI. Le chant choral — VII. Comment écouter la musique — VIII. La magie du geste — IX. La beauté — X. L'idéalisation comme moyen de création — XI. Le chef d'œuvre vivant — XII. La construction du temple — Postface.

## 224 — PUISSANCES DE LA PENSÉE

I. La réalité du travail spirituel — II. Comment penser l'avenir — III. La pollution psychique — IV. Vie et circulation des pensées — V. Comment la pensée se réalise dans la matière — VI. Rechercher l'équilibre entre les moyens matériels et les moyens spirituels — VII. La force de l'esprit — VIII. Quelques lois de l'activité spirituelle — IX. Les armes de la pensée — X. Le pouvoir de la concentration — XI. Les bases de la méditation — XII. La prière — XIII. La quête du sommet.

## 225 — HARMONIE ET SANTÉ

I. L'essentiel, la vie — II. Le monde de l'harmonie — III. Harmonie et santé — IV. Les bases spirituelles de la médecine — V. Respiration et nutrition — VI. La respiration : 1. Ses effets sur la santé ; 2. Comment se fondre dans l'harmonie cosmique — VII. La nutrition dans les différents plans — VIII. Comment devenir infatigable — IX. Cultiver le contentement.

## 226 — LE LIVRE DE LA MAGIE DIVINE

I. Le retour des pratiques magiques et leur danger — II. Le cercle magique : l'aura — III. La baguette magique — IV. La parole magique — V. Les talismans — VI. A propos du nombre treize — VII. La lune, astre de la magie — VIII. Le travail avec les esprits de la nature — IX. Les fleurs, les parfums… — X. Nous faisons tous de la magie — XI. Les trois grandes lois magiques — XII. La main — XIII. Le regard — XIV. Le pouvoir magique de la confiance — XV. La magie véritable : l'amour — XVI. Ne cherchez jamais à vous venger — XVII. Exorciser et consacrer les objets — XVIII. Protéger votre demeure.

## 227 — RÈGLES D'OR POUR LA VIE QUOTIDIENNE
### (extrait de la table des matières)

I. Le bien le plus précieux : la vie — II. Concilier la vie matérielle et la vie spirituelle — III. Consacrer sa vie à un but sublime — IV. La vie quotidienne : une matière que l'esprit doit transformer — V. La nutrition considérée comme un yoga — VI. La respiration — VII. Comment récupérer ses énergies — VIII. L'amour rend infatigable − IX. Le progrès technique libère l'homme pour le travail spirituel − X. Aménagez votre demeure intérieure − XI. Le monde extérieur est un reflet de votre monde intérieur − XII. Préparez l'avenir en vivant bien le présent − XIII. Goûtez la plénitude du présent − XIV. L'importance du commencement − XV. Prendre conscience de ses habitudes mentales − XVI. Attention et vigilance − XVII. S'en tenir à une direction spirituelle − XVIII. Insister plus sur la pratique que sur la théorie − XIX. Préférer les qualités morales au talent − XX. Etre content de son sort et mécontent de soi − XXI. Le travail spirituel ne reste jamais sans résultats − XXII. La régénération de nos corps physique, astral et mental − XXIII. Cherchez chaque jour votre nourriture spirituelle − XXIV. Révisez périodiquement votre vie − XXV. Accordez le but et les moyens. etc...

## 228 − REGARDS SUR L'INVISIBLE

I. Le visible et l'invisible − II. La vision limitée de l'intellect, la vision infinie de l'intuition − III. L'accès au monde invisible : de Iésod à Tiphéret − IV. La clairvoyance : activité et réceptivité − V. Faut-il consulter des clairvoyants ? − VI. Aimez et vos yeux s'ouvriront − VII. Les messages du Ciel − VIII. Lumière visible et lumière invisible : svétlina et vidélina − IX. Les degrés supérieurs de la clairvoyance − X. L'œil spirituel − XI. La vision de Dieu − XII. Le véritable miroir magique : l'Ame universelle − XIII. Rêve et réalité − XIV. Le sommeil, image de la mort − XV. Se protéger pendant le sommeil − XVI. Les voyages de l'âme pendant le sommeil − XVII. Abri physique et abris psychiques − XVIII. Les sources de l'inspiration − XIX. Préférer la sensation à la vision.

## 229 − LA VOIE DU SILENCE

I. Bruit et silence − II. La réalisation du silence intérieur − III. Laissez vos soucis à la porte − IV. Un exercice : manger dans le silence − V. Le silence, réservoir d'énergies − VI. Les habitants du silence − VII. L'harmonie, condition du silence intérieur − VIII. Le silence, condition de la pensée − IX. Recherche du silence, recherche du centre − X. Le Verbe et la parole − XI. La parole d'un Maître dans le silence − XII. Voix du silence, voix de Dieu − XIII. Les révélations du ciel étoilé − XIV. La chambre du silence.

## 230 − APPROCHE DE LA CITÉ CÉLESTE

I. Visite à Patmos − II. Introduction à l'Apocalypse − III. Melkhitsédek et l'enseignement des deux principes − IV. Lettres aux Églises d'Éphèse et de Smyrne − V. Lettre à l'Église de Pergame − VI. Lettre à l'Église de Laodicée − VII. Les Vingt-quatre Vieillards et les quatre Animaux saints − VIII. Le livre et l'Agneau − IX. Les 144.000 serviteurs de Dieu − X. La femme et le dragon − XI. L'Archange Mikhaël terrasse le dragon − XII. Le dragon lance de l'eau contre la femme − XIII. La bête qui monte de la mer et la bête qui monte de la terre − XIV. Le festin de noces de l'agneau − XV. Le dragon lié pour mille ans − XVI. Le nouveau Ciel et la nouvelle terre − XVII. La Cité céleste.

*Du même auteur :*

**Brochures :**

*nouvelle présentation*

**Cassettes**
**Conférences improvisées**

*Editeur-Distributeur*

**Editions PROSVETA S.A. – B.P. 12 – 83601 Fréjus Cedex (France)**

---

*Distributeurs*

**ALLEMAGNE**
EDIS GmbH
Daimlerstr.5
D - 8029 Sauerlach

**AUTRICHE**
MANDALA
Verlagsauslieferung für Esoterik
A-6094 Axams, Innsbruckstraße 7

**BELGIQUE**
PROSVETA BENELUX
Van Putlei 105 B-2548 Lint
N.V. MAKLU Somersstraat 13-15
B-2000 Antwerpen
VANDER S.A.
Av. des Volontaires 321
B-1150 Bruxelles

**BRÉSIL**
NOBEL SA
Rua da Balsa, 559
CEP 02910 - São Paulo, SP

**CANADA**
PROSVETA Inc.
1565 Montée Masson
Duvernay est, Laval, Que. H7E 4P2

**CHYPRE**
THE SOLAR CIVILISATION BOOKSHOP
PO Box 4947
Nicosie

**ESPAGNE**
ASOCIACIÓN PROSVETA ESPAÑOLA
C/ Ausias March n° 23 Principal
SP-08010 Barcelona

**ETATS-UNIS**
PROSVETA U.S.A.
P.O. Box 49614
Los Angeles, California 90049

**GRANDE-BRETAGNE**
PROSVETA Ltd
The Doves Nest
Duddleswell Uckfield,
East Sussex TN 22 3JJ
Trade orders to:
ELEMENT Books Ltd
Unit 25 Longmead Shaftesbury
Dorset SP7 8PL

**GRÈCE**
PROFIM MARKETING Ltd
Ifitou 13
17563 P. Faliro
Athènes

**HONG KONG**
HELIOS – J. Ryan
P.O. BOX 8503
General Post Office, Hong Kong

**IRLANDE**
PROSVETA IRL.
84 Irishtown – Clonmel

**ITALIE**
PROSVETA Coop. a r.l.
Cas. post. 13046 – 20130 Milano

**LUXEMBOURG**
PROSVETA BENELUX
Van Putlei 105 B-2548 Lint

**NORVÈGE**
PROSVETA NORDEN
Postboks 5101
1501 Moss

**PAYS-BAS**
STICHTING
PROSVETA NEDERLAND
Zeestraat 50
2042 LC Zandvoort

**PORTUGAL**
PUBLICAÇÕES
EUROPA-AMERICA Ltd
Est Lisboa-Sintra KM 14
2726 Mem Martins Codex

**SUISSE**
PROSVETA
Société Coopérative
CH - 1808 Les Monts-de-Corsier

**VENEZUELA**
J.P.Leroy
Apartado 51 745
Sabana Grande
1050 A Caracas

ACHEVÉ D'IMPRIMER LE 29 NOVEMBRE 1990
SUR LES PRESSES DE L'IMPRIMERIE
PROSVETA, Z.I. DU CAPITOU B.P.12
83601 FRÉJUS CEDEX, FRANCE

— N° d'impression : 1880 —
Dépôt légal : Novembre 1990
Imprimé en France